PAPIERS PLIÉS

DES IDÉES PLEIN LES MAINS

Dominique Buisson

Dans la même collection

VIVRE AVEC SON CHAT

CHANGEONS DE PETIT DÉJEUNER

PROMENADE AU FIL DES SAISONS

LA CUISINE AUX HERBES

A CHACUN SA PÊCHE

OISEAUX DES RUES
ET DES JARDINS

LA GYM DOUCE

NOUVEAUX SPORTS AÉRIENS

LES ENFANTS ET
LEURS ANIMAUX FAMILIERS

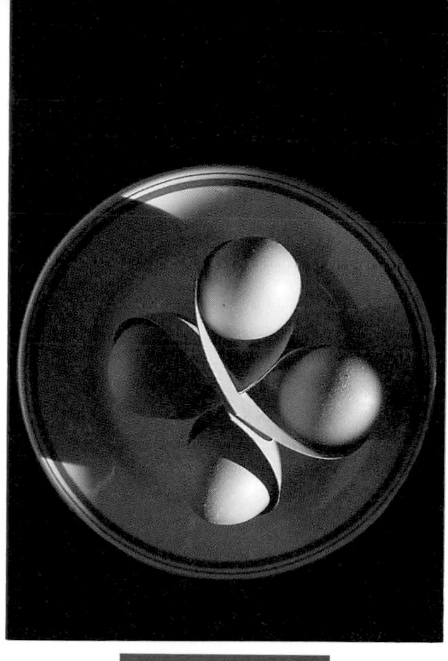

J'ai lu la vie!

PAPIERS PLIÉS

DES IDÉES PLEIN LES MAINS

Dominique Buisson

Avec la collaboration de Didier Boursin
Photographies de l'auteur

La mémoire a des plis que vous ne sauriez soupçonner.

Lorsque le mot pliage est lancé, vous pensez automatiquement aux cocottes en papier de votre enfance. Vous souriez ? Mais essayez donc de retrouver ces gestes si simples...

Car la cocotte ou la bombe à eau n'ont pas été vos derniers pliages : combien de fois n'avez-vous pas replié (avec plus ou moins d'habileté) une feuille de papier journal sur des épluchures de légumes... Geste insignifiant, banal, automatique. Certes, mais sans vous en rendre compte, vous avez réalisé un pliage. Un pliage répété avec la même insouciance en de

Dans le monde entier, un seul mot pour désigner les papiers pliés : ORIGAMI

multiples occasions : pour vider un cendrier, pour recueillir la terre après le rempotage d'un géranium... Saviez-vous que le pliage n'est pas seulement un jeu d'enfant ? C'est un art ancien, pratiqué par de très nombreux et très sérieux adultes dans le monde entier... Né au Japon, cet art est devenu une mode qui fait fureur en Californie, avant de conquérir l'Europe. Demain, pour être à la page, il faudra savoir plier du papier. Depuis l'enfance, vous pliez sans le savoir.

En lisant ce livre, vous retrouverez des plaisirs oubliés et vous saurez tout sur ce « nouveau » mode d'expression qui ne réclame que peu de moyens : du papier et vos deux mains.

Quant aux idées, elles sont dans votre imagination ; déplions-les ensemble !

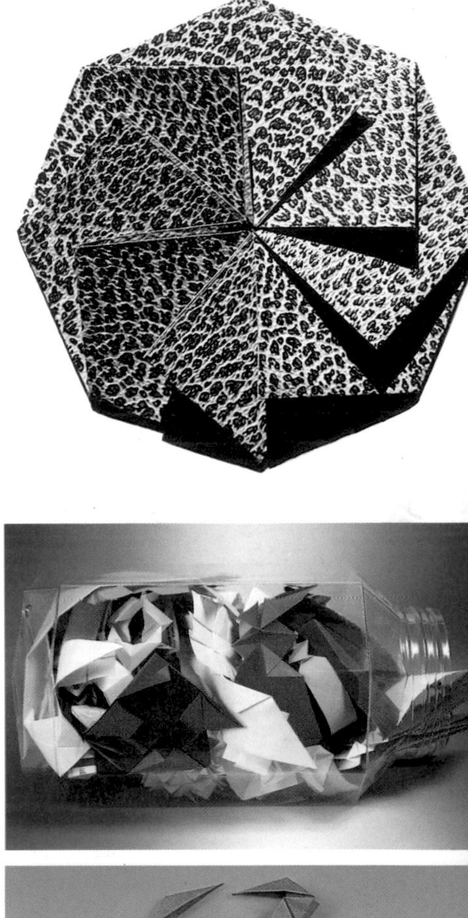

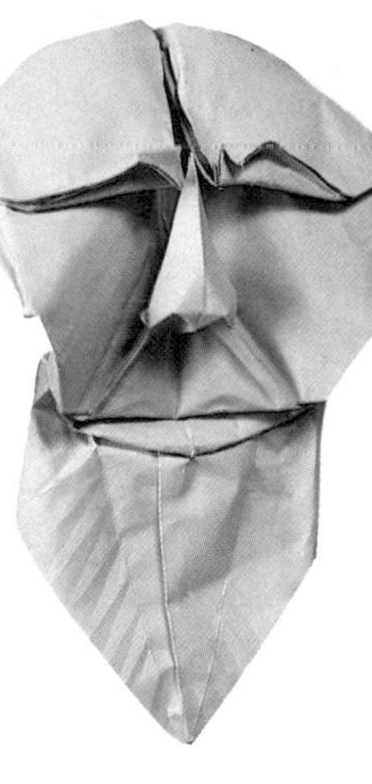

AU COMMENCEMENT ÉTAIT LE PLI

DANS CETTE GRANDE CONFRÉRIE DES PLIEURS ANONYMES, HONORONS PARTICULIÈREMENT LE POISSONNIER.

Il fait d'un poisson emballé à la va-vite un bouquet d'écailles et de bouches bées. Louons le fleuriste qui avec dextérité environne le plus simple bouquet de violettes d'un écrin de papier transparent. Remercions le bouquiniste, maître du papier-cristal, qui sauve les vieux livres des outrages du temps et des mains sales.

Héritiers d'un savoir millénaire, vos doigts ont la parole. Ils « parlent » aux papiers. Entre eux, il y a toujours une connivence, un dialogue, une passion. Mais aussi parfois une grande incompréhension. C'est pour cela qu'il faut aider vos enfants encore maladroits lorsque, au moment de la rentrée scolaire, il s'agit de couvrir les livres et les cahiers. Pour que le livre à l'odeur d'encre fraîche et le papier immaculé puissent se marier et vivre une belle histoire d'amour : l'emballage. Les doigts de vos enfants sont de l'or, mais ils ne le savent pas encore. Sachons les ouvrir au monde du pliage, leur montrer l'exemple de la nature qui plie et replie sans cesse pour leur indiquer le chemin d'une nouvelle passion, d'un art de vivre pour certains. L'origami.

Au commencement était le pli

Depuis la Création, la nature est magie et pliage. À chaque printemps, elle fait naître de nouveaux pliages qui vont rejoindre la mémoire du monde : les vieux plis des roches millénaires, les rides forcées des coquillages, les cicatrices superposées des écorces... Ainsi le papillon étend ses voiles multicolores au soleil, le renardeau ouvre ses pau-

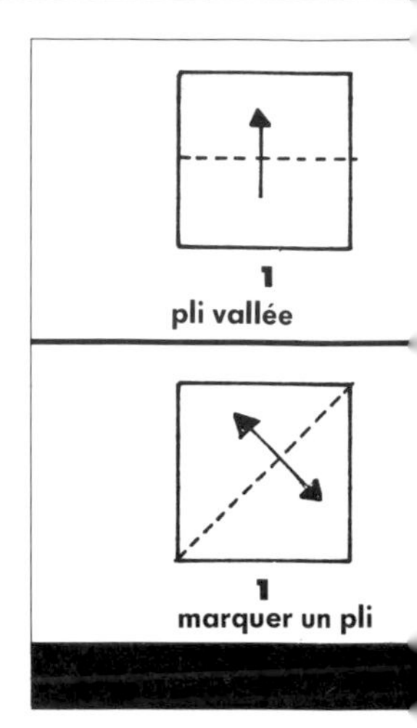

Trois petits plis et puis s'en vont... faire le tour de la terre. Ce rêve, cette poésie de papier et de plis, a un nom, un nom qui vient de l'autre côté de la terre. Un nom exotique que nous offre le Japon, maître incontesté de cet art. Cela s'appelle ORIGAMI, ce qui signifie tout bêtement « papier plié ». On ne peut être plus simple, mais de là, tout peut naître.

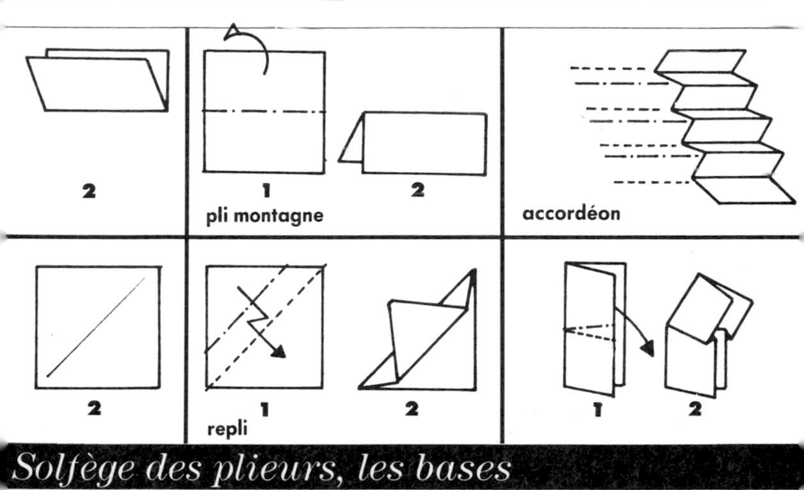

Solfège des plieurs, les bases

- plier devant
- plier derrière
- pousser, enfoncer
- retourner le modèle
- ouvrir, tirer, déplier
- vue agrandie
- maintenir ce point
- surveiller ce point
- insérer, glisser dans
- répéter l'opération autant de fois que de barres

pières au fond de son terrier, la mésange lustre les ailes mouillées de son oisillon, la fougère étire ses crosses au bord du chemin. Tout est pli dans la nature. Tout dans le pli est poésie. Il suffit en fait de savoir regarder. Et si l'enfant, prompt à s'émerveiller, commence ses premiers pas en compagnie des plis, il fera de la moindre cocotte la compagne idéale de ses jeux, et pourquoi pas ? de son imagination. Car la création est au bout des doigts.

GAMMES DE PLIAGES SIMPLES.

Nous sommes tous des artistes

Nous sommes donc cernés par les plis, mais ils sont tellement intégrés dans notre vie quotidienne que nous ne les voyons plus dans leur merveilleuse ordonnance. Pourtant il existe des hommes qui nous rappellent les lois de cette simplicité originelle. On les nomme « plieurs de papier ». Avec rien sinon une banale feuille de papier, ils font tout. Ils inventent un monde parallèle à celui que nous vivons quotidiennement. Sans le savoir, sans le vouloir vous faites partie de cette noble famille. Ils sont partout ces plieurs ! Beaucoup, comme le poissonnier ou le fleuriste, pratiquent le pliage professionnellement sans forcément y at-

Origami nippon ? L'origami est japonais. Impossible de le nier. Cela ne veut pas dire que vous devrez brider vos yeux, et plier avec des baguettes pour éprouver les joies intenses de cet art. Mais il est bon de situer l'origami dans sa tradition pour en comprendre l'importance.
Nous aussi, en Occident, nous avons une tradition de pliage. La cocotte en papier est bien de chez nous et dans les cours royales européennes, le pliage de serviettes était un art accompli.

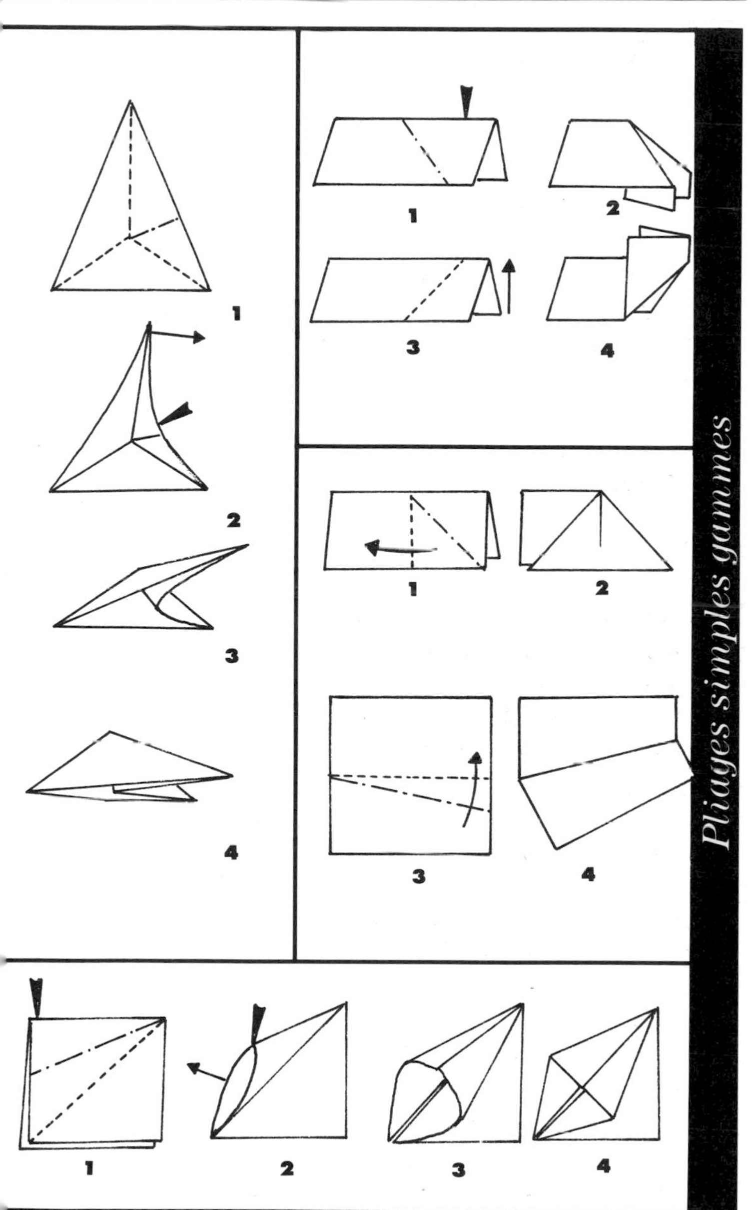

Pliages simples gammes

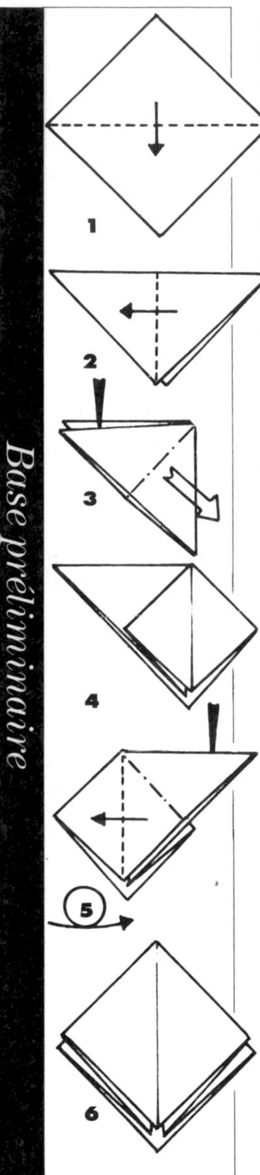

tacher une importance capitale. D'autres passent leur vie à concevoir des boîtes et des emballages. Les enfants le font avec innocence, et souvent avec facétie. Il y a encore les plieurs par inadvertance, ceux dont les doigts s'agitent le temps d'un trajet en métro ou d'une conférence. Comme ça, pour rien ! À moins que ce ne soit pour lutter contre le sommeil. Et puis, il y a les gens qui aiment enseigner les traditions oubliées. Pour eux, le pliage est un langage universel qui se moque des frontières et du temps.

Tous sont des créateurs, de vrais artistes. Seul le matériau de création les différencie des peintres, des musiciens ou des poètes. Mais, sachez-le, que vous soyez débutant ou plieur confirmé, le pliage accompagne chaque instant de notre vie. Il est l'une des manifestations du rêve bien avant de s'affirmer utile. La ménagère dans son salon, l'enfant sur les bancs de l'école, l'ouvrier sur son chantier, le cadre dans son bureau, tous deviennent des artistes dès qu'ils ont un bout de papier dans les mains et que machinalement ils ont exécuté le premier pli.

À l'aide !
Maurice Joseph passe son temps à reconstruire la tour Eiffel. Il a déjà plié 10 900 tickets de métro à cet effet ; ce qui ne représente que 12 étages des 90 à construire. Il recherche désespérément 100 000 nouveaux tickets pour finir à temps cet édifice qui, terminé, mesurera 2,70 m de haut. Cette construction sera exposée pour le centenaire de la tour Eiffel en 1989.

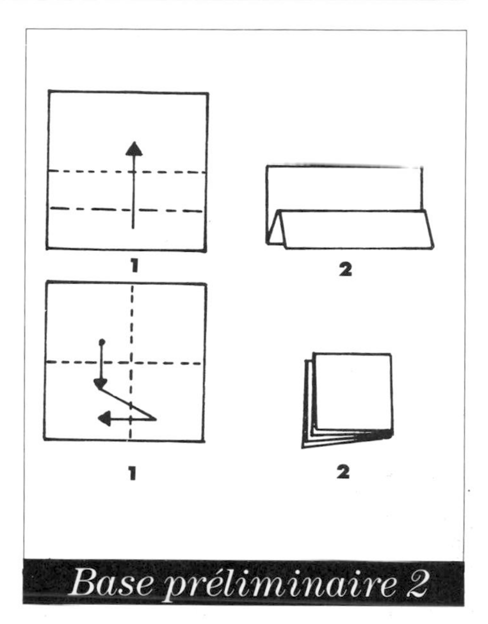

Base préliminaire 2

Un dieu de papier

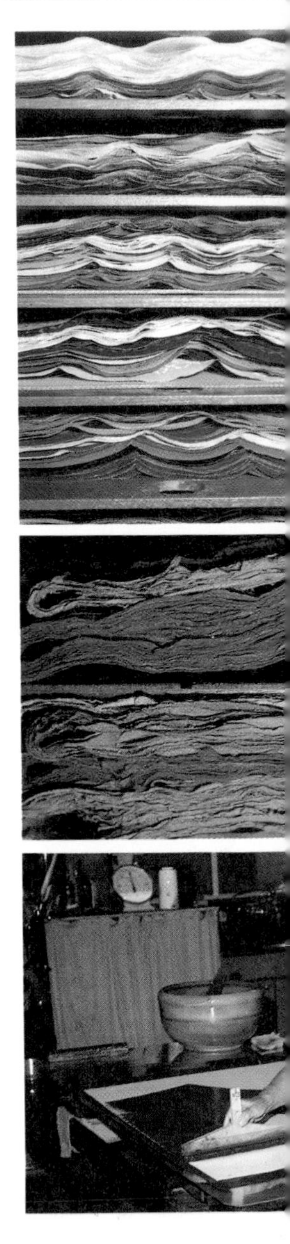

Si les mots pliage et origami évoquent pour vous la forme incontournable et enfantine d'une cocotte, il faut savoir qu'il fut il y a bien longtemps l'objet d'une profonde vénération. Dès l'introduction du papier, les prêtres de la religion shinto sont fascinés par sa perfection, sa beauté et sa pureté. Toutes ces qualités étant accordées aux divinités, le pliage devient le meilleur moyen pour les honorer. Par un heureux hasard, papier se dit *kami* et divinité se prononce également *kami*. Et si le sens des deux mots est radicalement différent, ce cousinage les rapproche encore. Ainsi, le papier blanc immaculé est-il le support idéal de la nature divine et le pliage le signe de sa présence.

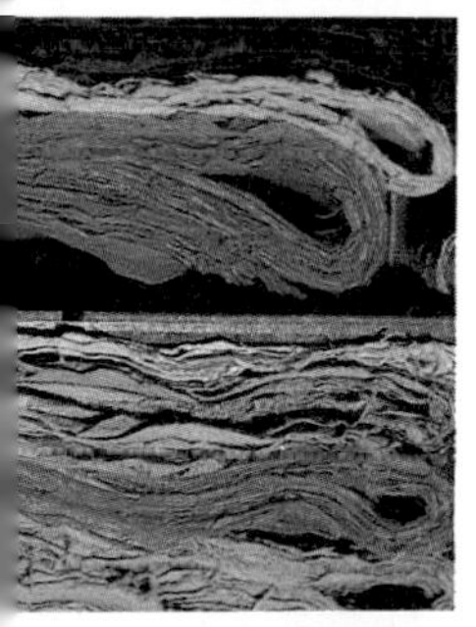

Du village au palais, sacré papier !
En 105 de notre ère, Ts'ai-Louen, directeur des Ateliers du Céleste Empire, présente en grande pompe à son empereur-dieu une création du petit peuple de Chine : le papier. Pour la postérité, il deviendra l'inventeur officiel de ce produit inégalable sur lequel nous imprimons encore chaque jour nos idées, nos larmes, nos nouvelles, nos passions et notre mémoire.

Cinq siècles plus tard, et après avoir transité par la Corée, il est introduit au Japon. Le papier chinois, fait de fibres d'écorces variées, de chanvre et de vieux filets de pêche, ne plaît guère aux Japonais qui le jugent trop fragile. Le prince Shotoku-taishi suggère alors d'utiliser pour sa fabrication l'écorce du mûrier dont il encourage la plantation, favorisant dans le même enthousiasme l'artisanat de la soie. Les prêtres s'en emparent pour honorer leurs dieux. L'origami fait ses premiers pas sur terre.

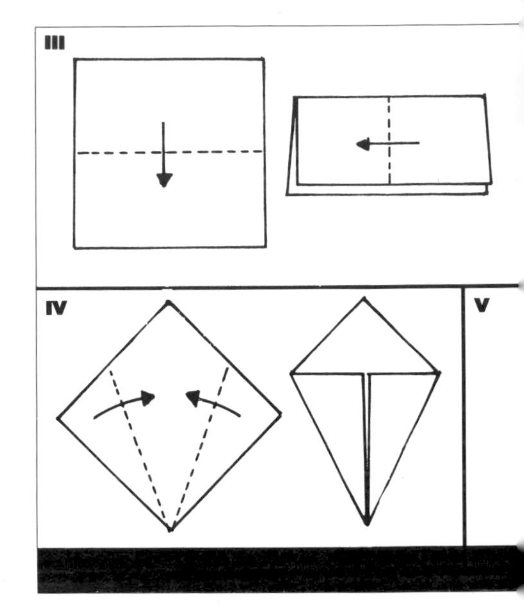

Et la dent pour la petite souris ? Savez-vous que les mères aussi savent plier ?
Les cheveux d'ange des enfants doivent absolument être conservés dans le plus joli étui qui soit pour figurer en bonne place dans l'album de naissance.
Avez-vous pensé aux premières dents ? Celle que l'on doit déposer le soir pour que la petite souris puisse venir la prendre la nuit et déposer en échange une belle pièce d'argent. Si vous présentez la dent dans un bel emballage, à coup sûr la souris offrira la pièce dans un origami superbe.
Et la chaîne et la médaille de bébé... et la gourmette ?

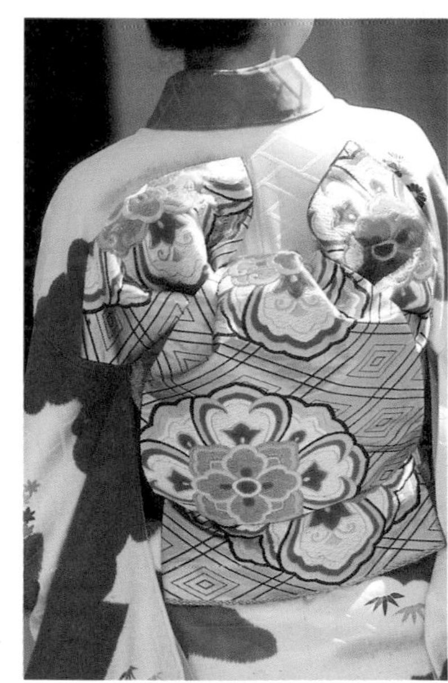

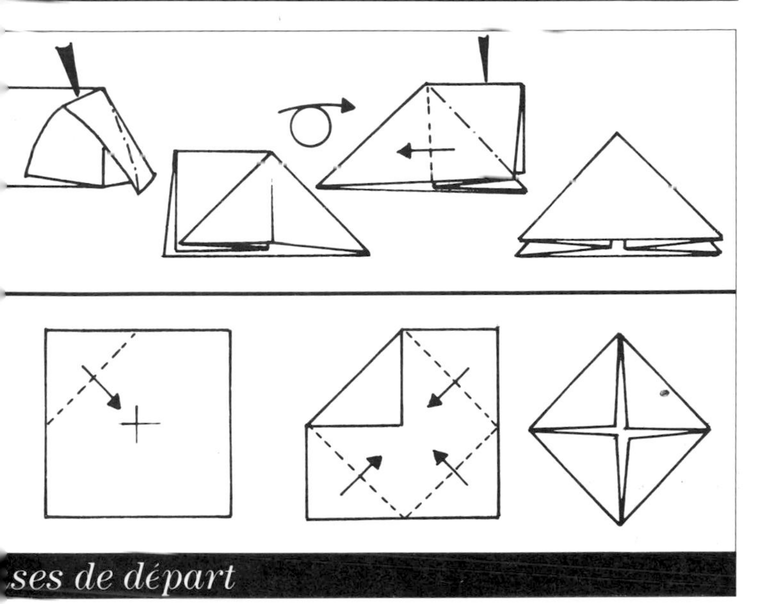

ses de départ

Monts et vallées : le premier origami

L'origami le plus ancien, et en même temps le plus simple, est l'éventail. Non celui des belles Andalouses aux yeux de braise, mais celui de la geisha y dissimulant son sourire en esquissant un pas de danse. Il n'est composé que de plis « montagne » et de plis « vallée ». Ne craignez rien ; nous ne ferons pas de géographie. Vallée et montagne sont des termes de plieurs. Abandonnez cette page quelques secondes, prenez un bout de papier (n'importe lequel, cela suffira pour la démonstration), faites un accordéon puis revenez à cet article passionnant...

Vous venez de réaliser une succession de plis montagne et de plis vallée. Maintenant, serrez l'ensemble en son milieu : vous avez un nœud papillon pour le prochain Mardi gras. Faites glisser vos doigts vers la gauche ou la droite, vous obtenez le principe de l'éventail. Cette forme rayonnante, dont certains affirment qu'elle provient de l'aile de la chauve-souris, possède déjà toutes

Le génie à la portée de tous

« Comme la musique, le pliage possède son solfège, dit Jean-Claude Corréia, l'un de nos artistes du

pliage. Il faut faire ses gammes sur une partition avec des plis essentiels. Ensuite, vous composez votre propre modèle. Si ce qui engendre les formes est codifié, par contre les formes, elles, sont infinies et d'une étonnante richesse. La seule limite est celle de l'imaginaire.
Dans l'origami, il n'y a ni nervosité, ni tension. De la surprise, ça oui ! Car on ne sait jamais où le pli va nous entraîner, et vers quoi. »

Les tickets de métro étant assez épais, il est nécessaire de très bien marquer les plis à chaque opération.
– En 5, pliez la languette vers l'arrière et retournez la figure pour obtenir le 6.
– En 6, il suffit de tirer la languette vers la gauche pour obtenir la pelle.
– En 7, la mise en forme de la poignée peut se faire par tâtonnements.

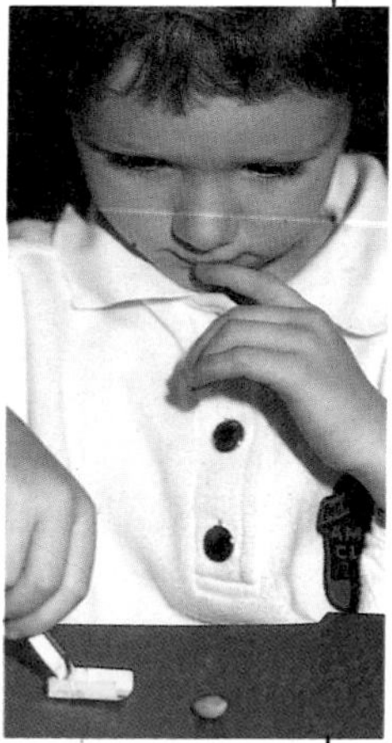

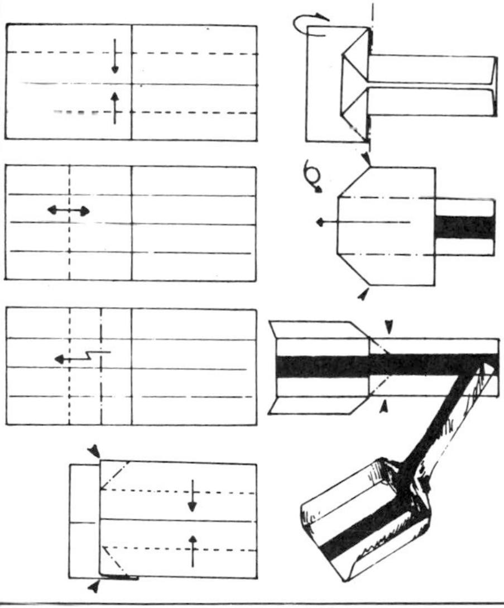

les astuces de l'origami : la rigidité due aux contre-plis, le mouvement lorsque vous le repliez et même le vol.

Un pliage pour la fortune

Bien avant que le papier ne devienne une monnaie, il servit à confectionner des amulettes pour acquérir fortune et bonne santé.

Imaginez que vous êtes une Japonaise adepte du shinto. Votre premier devoir consistera à protéger votre maison des mauvaises influences et en particulier du feu dévastateur.

Votre mari serait mécontent si vous ne rameniez pas une amulette de votre visite d'un sanctuaire réputé pour cette protection. De même il attendra de vous que vous alliez prier les divinités dans l'espoir d'une heureuse maternité et que vous rapportiez le charme prévu à cet effet. Ces amulettes sont très perfectionnées dans le mode de pliage et de découpage. Fixées à un bâtonnet pour que des mains impures ne les souillent pas, elles siégeront sur le petit autel familial de votre maison. Elles comportent à l'encre rouge l'origine du sanctuaire qui les produit, le nom de la divinité vénérée et leur but.

Shimenawa

Ce nom étrange désigne une corde sacrée faite de paille torsadée agrémentée de fibres de chanvre et de bandelettes de papier découpé et plié en zigzag. Cet ornement indique la nature sacrée du lieu. On le repère au fronton des bâtiments, mais aussi en pleine campagne, au bord d'une rivière, sur le tronc d'un arbre ou ceinturant un rocher.

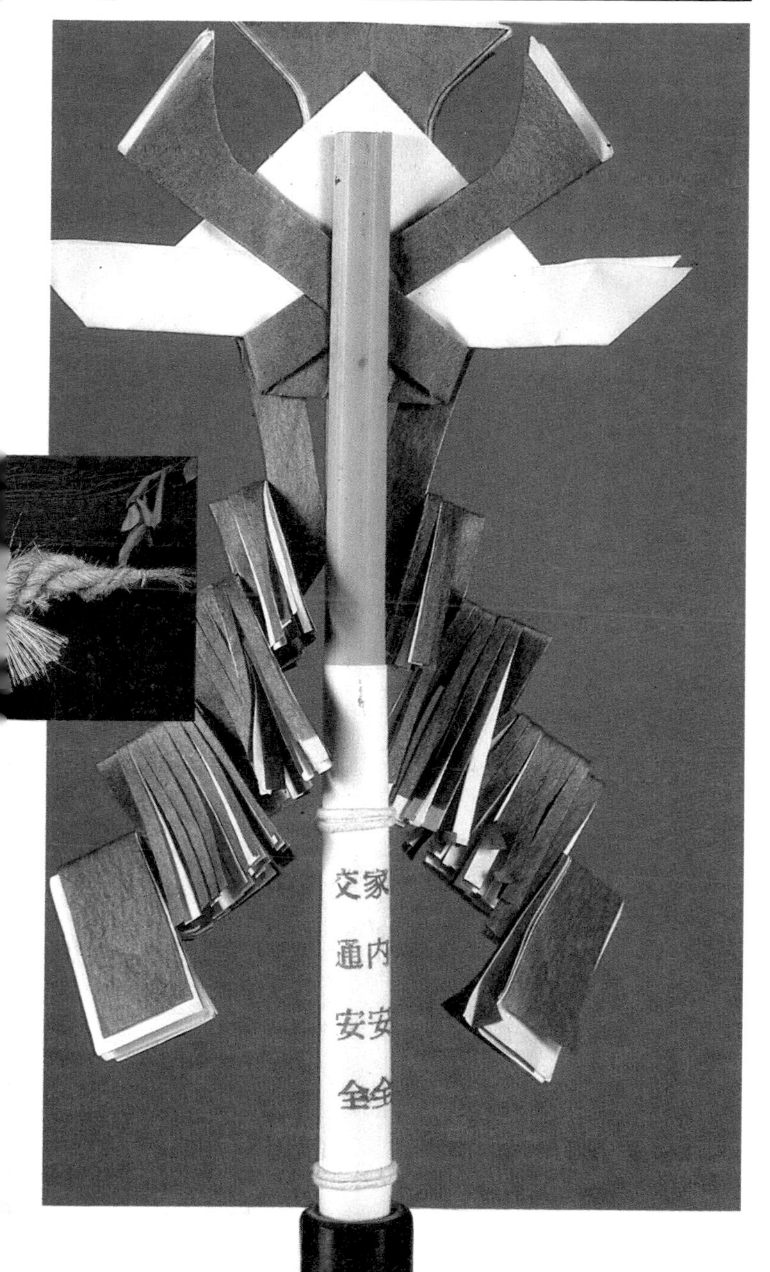
家内安全
交通安全

Le pliage contre les démons
Ces plumeaux de papier restent aujourd'hui de la plus grande efficacité si l'on en juge par l'usage qu'en font les prêtres dans des situations très modernes. Savez-vous que de nombreux Japonais font « baptiser » leur voiture ? Le sanctuaire de Narita près de l'aéroport international de Tokyo en fait sa spécialité et la source de ses revenus.

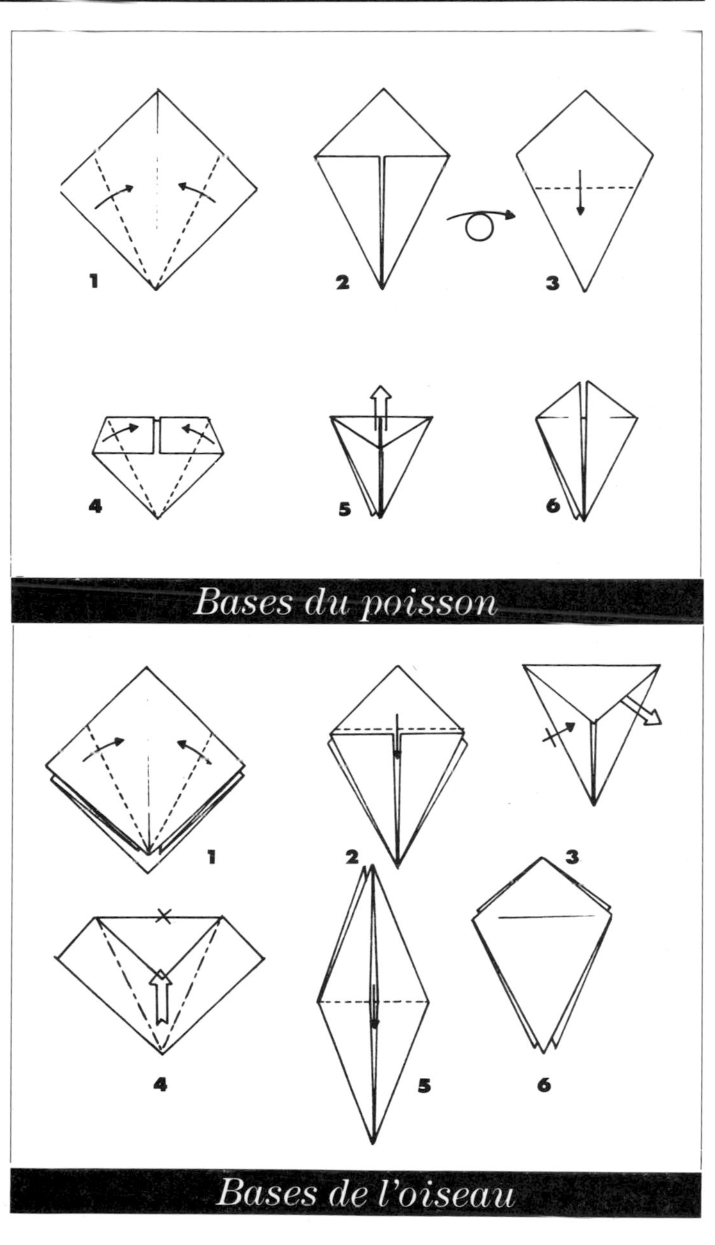

Bases du poisson

Bases de l'oiseau

DU CADEAU DE PAPIER AU PAPIER-CADEAU

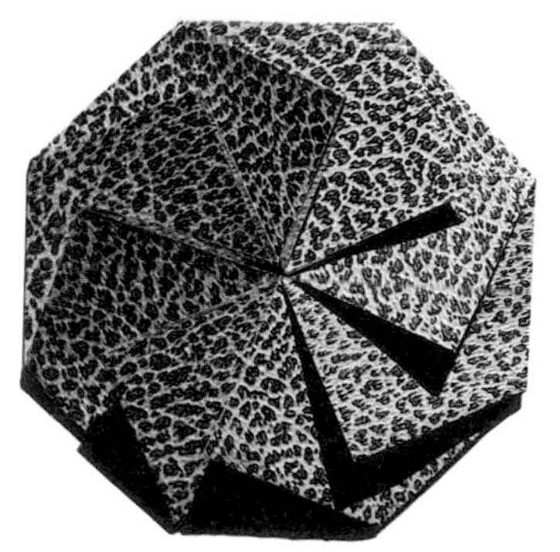

DANS LES ÉPOQUES ANCIENNES, IL ÉTAIT INDISPENSABLE D'ASSOCIER LES DIEUX À TOUTE CÉRÉMONIE.

De nombreuses coutumes tirent leur originalité de ces rituels. Certaines ont un rapport direct avec la religion, comme le mariage ou les funérailles, d'autres concernent la vie de la haute société comme l'art du cadeau ou les symboles porte-bonheur. Si ce chapitre est très lié à la vie nippone, vous devez pourtant le lire comme un exemple et un réservoir d'idées. Car pourquoi ne pas reprendre à votre compte des succès millénaires ? Reportez-vous près d'un millénaire en arrière au Pays du Soleil Levant. Le papier est un produit rare et son usage est strictement réservé à des occasions solennelles. C'est le cas, par exemple, de l'origami posé sur un objet d'art. Ce pliage n'est autre qu'un certificat d'authenticité plié en deux et qui possède le même sens que le mot « diplôme » issu du latin : « lettre pliée en deux ».

L'emballage appartient à la grande famille de l'origami. Au Japon, il prend une valeur supplémentaire en se référant sans cesse à l'esprit des saisons. Sans cette référence permanente, la société japonaise perdrait une partie de son âme. C'est ici que nous pouvons la copier sans retenue.

Un pétale de cerisier glissé dans un pli sera une délicatesse printanière ; un papier translucide évoquera la fraîcheur nécessaire pour supporter les grosses chaleurs de l'été ; un motif d'érable découpé dans un papier rouge ou or et fixé à la ficelle du paquet sera bienvenu pour l'automne...

Selon l'importance des relations sociales, l'objet du cadeau, sa nature ou l'occasion, vous pourrez employer d'autres matériaux, tels que des feuilles naturelles, du cuir, du bambou ou de la paille.

N'oubliez pas que dans l'emballage le choix du papier est de première importance, mais qu'un papier banal comme celui des mouchoirs jetables peut parfaitement prendre une allure de noblesse lorsqu'il est associé à un beau papier-cadeau.

Du papier d'alu qui devient boîte à bijoux, du kraft qui donne à une enveloppe une tête de sanglier : tous les types de papier sont bons à plier ; même une triste contravention peut devenir papillon...

Papillon PV avec du bon papier il volette

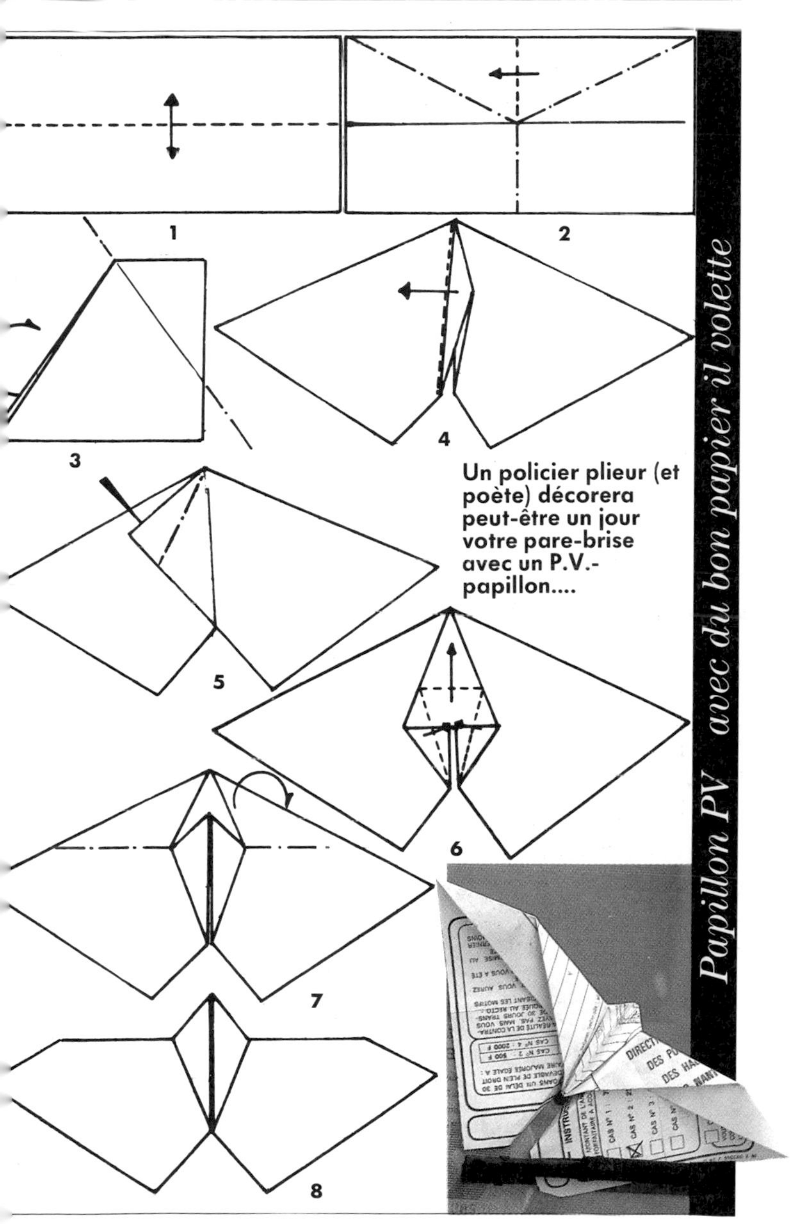

Un policier plieur (et poète) décorera peut-être un jour votre pare-brise avec un P.V.-papillon....

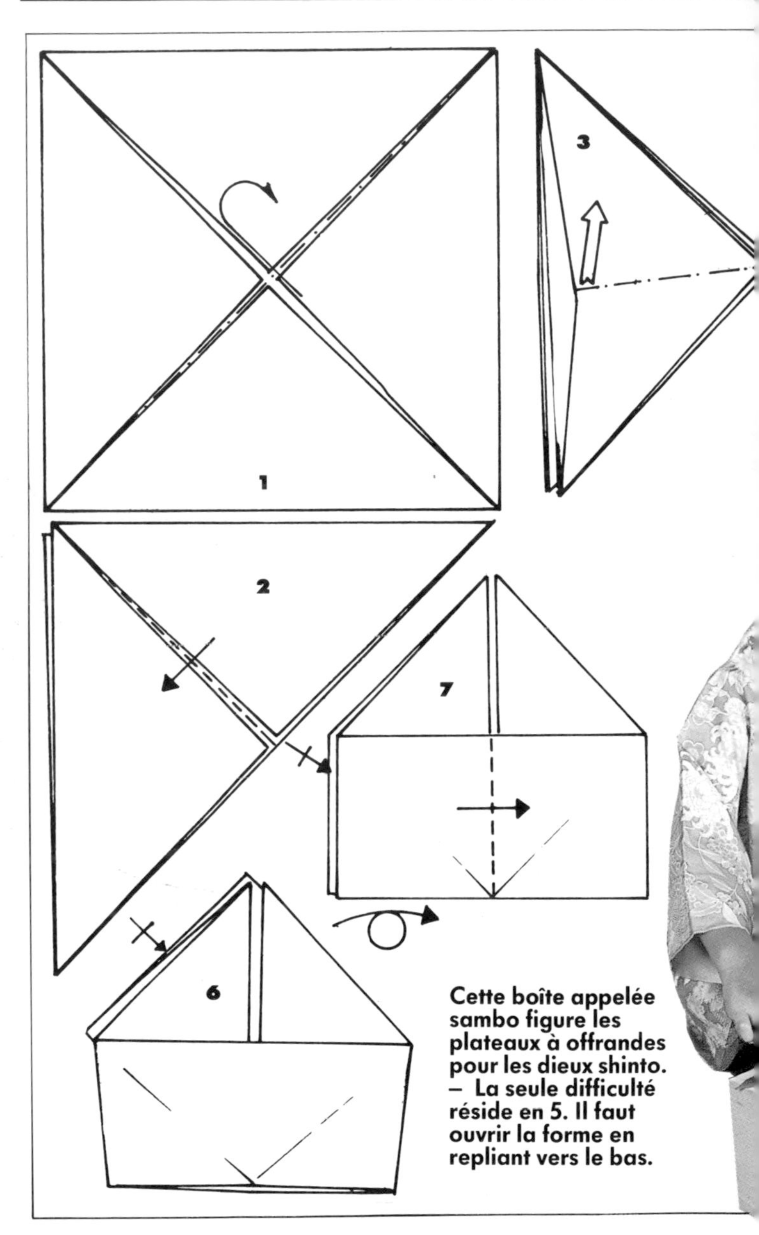

Cette boîte appelée sambo figure les plateaux à offrandes pour les dieux shinto. – La seule difficulté réside en 5. Il faut ouvrir la forme en repliant vers le bas.

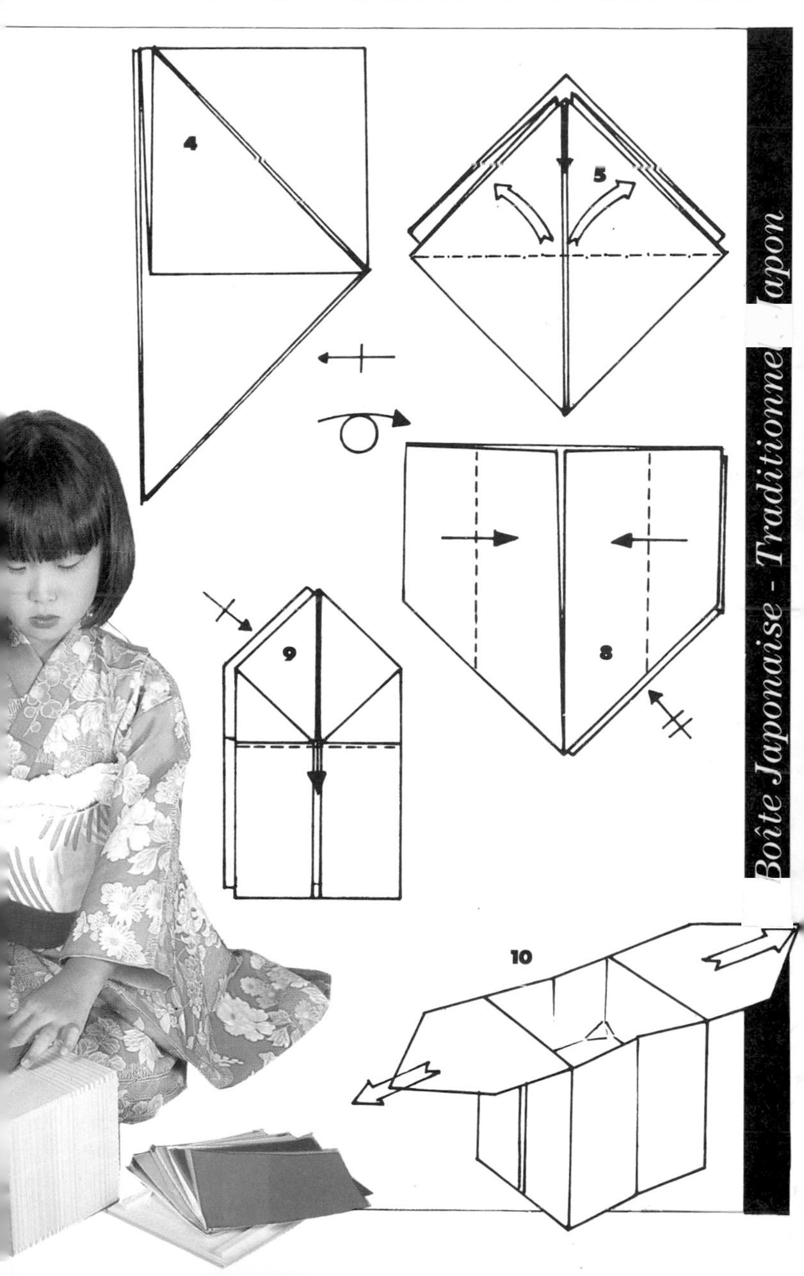
4
5
8
9
10
Boîte Japonaise - Traditionnel Japon

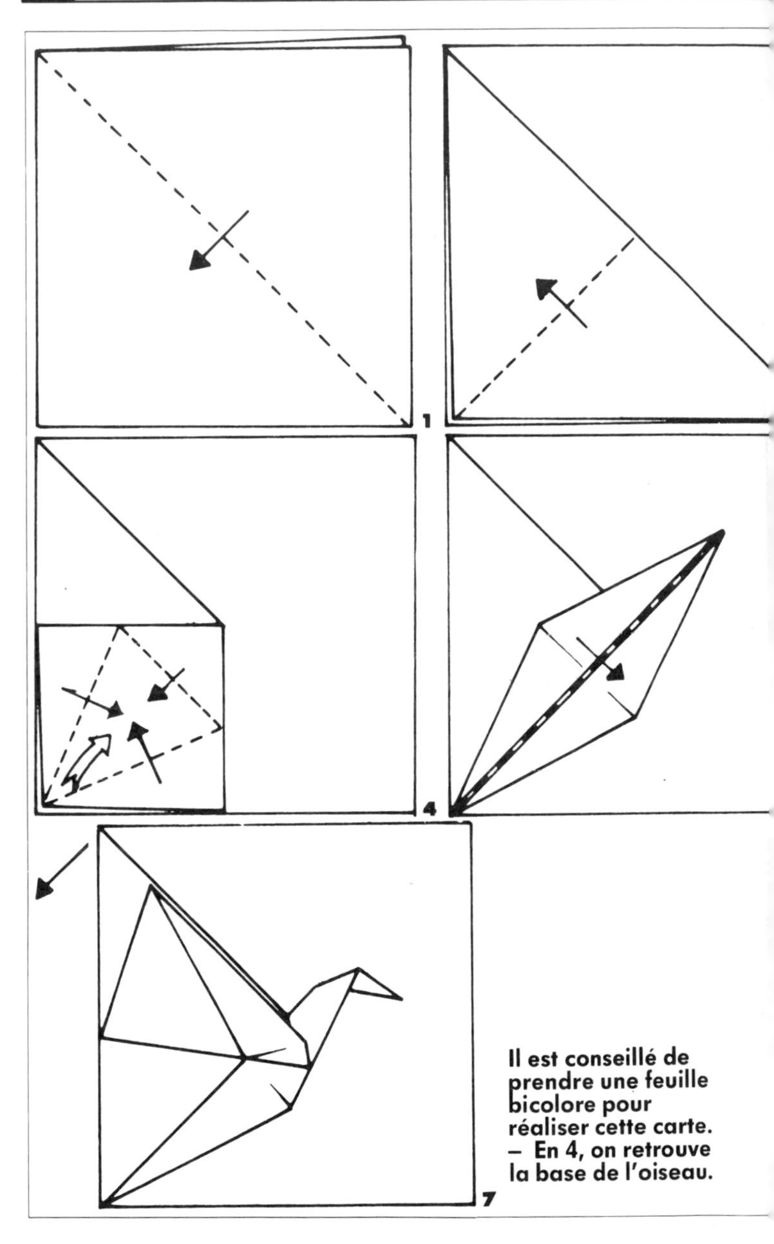

Il est conseillé de prendre une feuille bicolore pour réaliser cette carte. – En 4, on retrouve la base de l'oiseau.

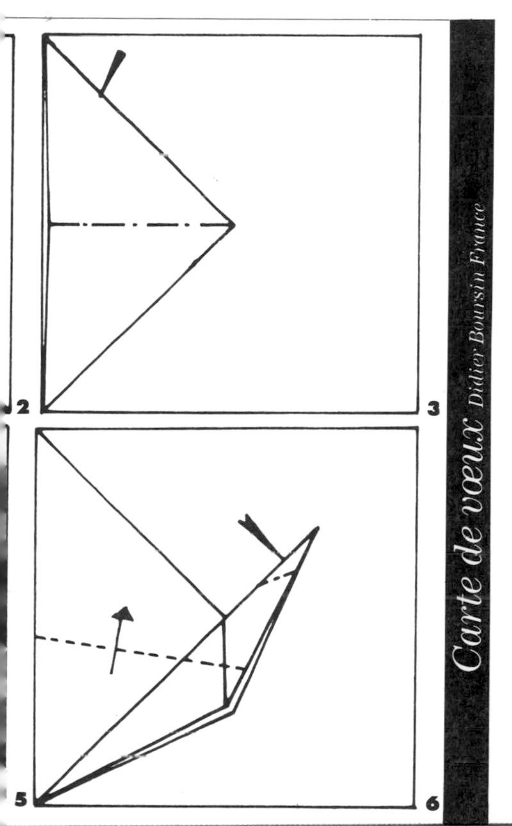

Carte de vœux Didier Boursin France

Le langage des angles

À l'époque où la coutume d'offrir sa carte de visite à chaque rencontre était considérée comme une preuve de bonne éducation, il existait un langage codé lorsqu'on envoyait celle-ci par la poste ou un porteur.

Plier le coin supérieur gauche : félicitations.

Plier le coin inférieur gauche : condoléances.

Plier le coin supérieur droit : annonce d'une visite personnelle.

Plier le bord gauche de la carte signifiait que l'on pensait à la famille tout entière.

Faire du moindre don une cérémonie

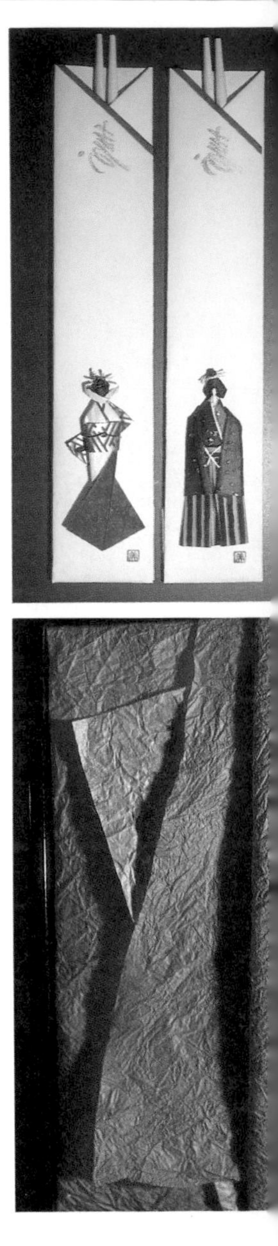

Pour nous qui n'avons ni les mêmes règles de beauté, ni les mêmes contraintes issues d'un passé encore récent, il ne s'agit pas de recréer une culture du cadeau à la japonaise. Il ne s'agit pas plus d'offrir cher et prestigieux. Il s'agit plus simplement d'offrir *bien* et d'offrir *beau.* Dans ce sens, l'emballage a un rôle de premier plan à jouer.

Faire du moindre don une cérémonie, voilà ce qu'il peut nous apporter de meilleur. Souvenez-vous d'autrefois. À cette époque, on mettait ses « habits du dimanche » lorsqu'on sortait en famille ou lorsqu'on recevait. C'était l'une de nos traditions. L'emballage peut avoir le même sens de convenance. Faire le don de son temps, de sa patience, voire de ses maladresses. Faire plaisir tout en se faisant plaisir.

改 源

Aussi célèbre que Carmen

La pajarita (« petit oiseau ») (car c'est en Espagne qu'est née la cocotte en papier) n'est pas née par enchantement. Il a fallu au préalable que les Arabes découvrent le papier aux confins de la Chine et que celui-ci entame son long voyage jusqu'en Espagne où il fait souche au XIIe siècle. Dès cette époque, les moulins tournent pour broyer la pâte à papier et donner, en plus de la cocotte, un autre classique du pliage occidental : le moulin à vent. Moulin et cocotte procèdent du même esprit de pliage, basé sur le triangle. Certains pensent que ce principe vient de Chine et qu'il servait aux sciences de la divination. Quoi qu'il en soit, la *pajarita* est bien espagnole et son originalité vient du fait qu'elle peut se transformer par inversion de plis en moulin et même en bateau. Elle est ainsi plus un jeu qu'une copie d'oiseau. D'ailleurs, sa forme est si abstraite qu'elle peut se prêter à toutes les interprétations. En Allemagne, les enfants y voient un corbeau et parfois s'en servent de « cheval de bois » comme en Angleterre. En France, comme en Espagne, on préfère la considérer comme un petit oiseau. En traversant les Pyrénées, la cocotte a perdu son aura de star ibérique pour devenir sous la plume de Zola et de Courteline le symbole d'un mal bien français : l'inefficacité des « ronds-de-cuir » qui pliaient pour vaincre leur ennui, pour se libérer d'une paperasse à laquelle ils devaient se plier... Les pliages espagnols ne se limitent pas à la *pajarita*. La bombe à eau est également un classique hispanique. Peut-être figure-t-elle l'œuf de la poule ? Un œuf voyageur, puisque les plieurs ont cru devoir lui ajouter des ailes.

L'intérêt de ce pliage évolutif est de montrer la variété d'objets différents que l'on peut obtenir à partir d'une base (ici la base du moulin).
– Difficultés en 4 pour tirer les pointes intérieures et en 10 pour retourner la tête de la cocotte.

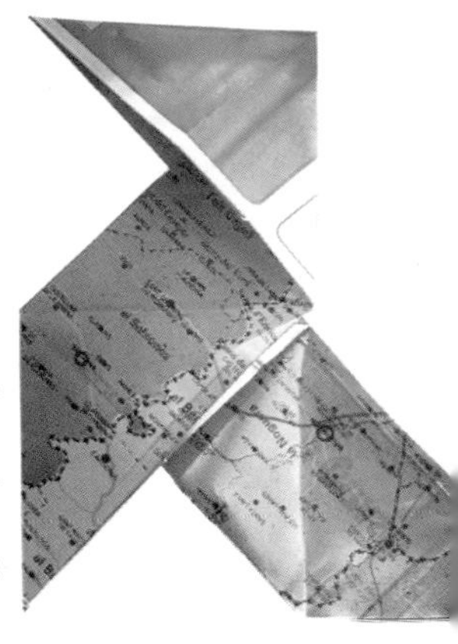

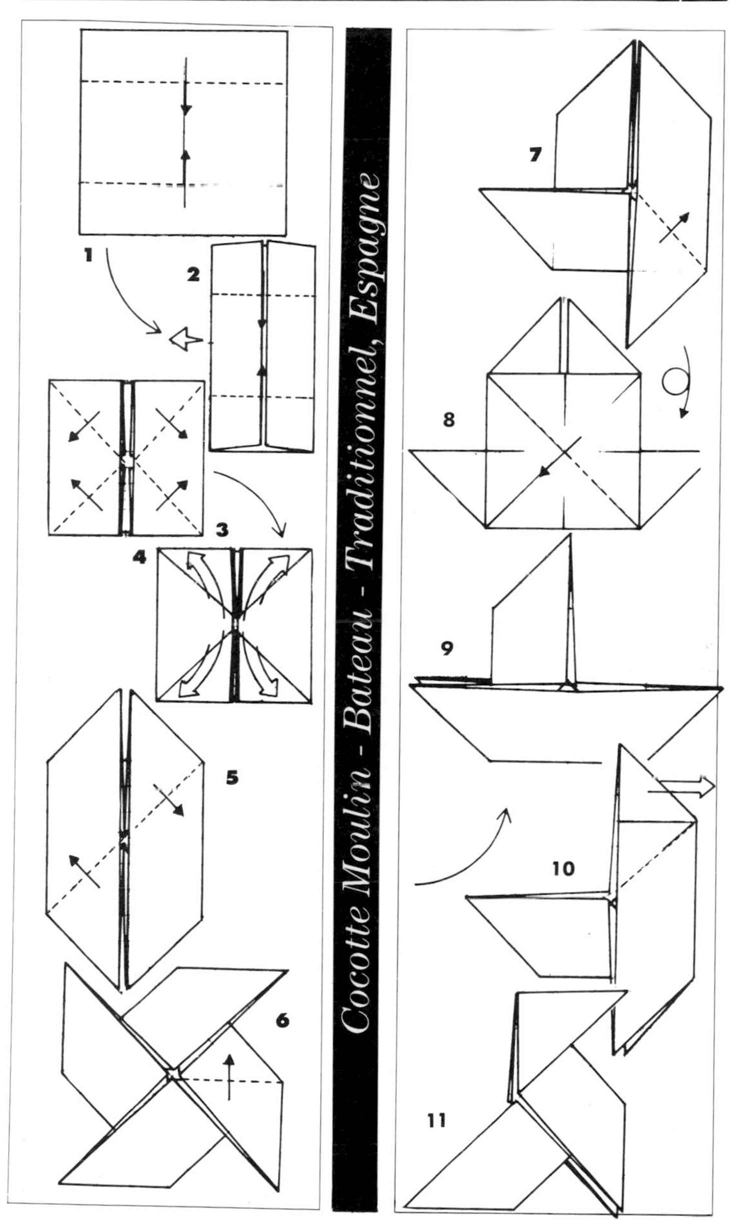
Cocotte Moulin - Bateau - Traditionnel, Espagne
1
2
3
4
5
6
7
8
9
10
11

Plis contre plis

Les superpositions de papiers colorés, les alliages de papier de soie et de papier glacé se développent aussi

rapidement que les nouvelles gammes d'objets à emballer. Tout devient affaire d'imagination, de goût, de dextérité, guidée par le plaisir d'offrir.
Au gré de votre humeur, les plis et les contre-plis se transformeront en vagues délicatement ourlées et superposées comme les jupes plissées des petites filles modèles, en papillons légers, en casque de vaillant guerrier, en oreilles de lapinot far-

C'est une manière très facile d'ajouter un décor à un emballage banal. On peut très vite comprendre le principe et inventer soi-même de tels pliages décoratifs.

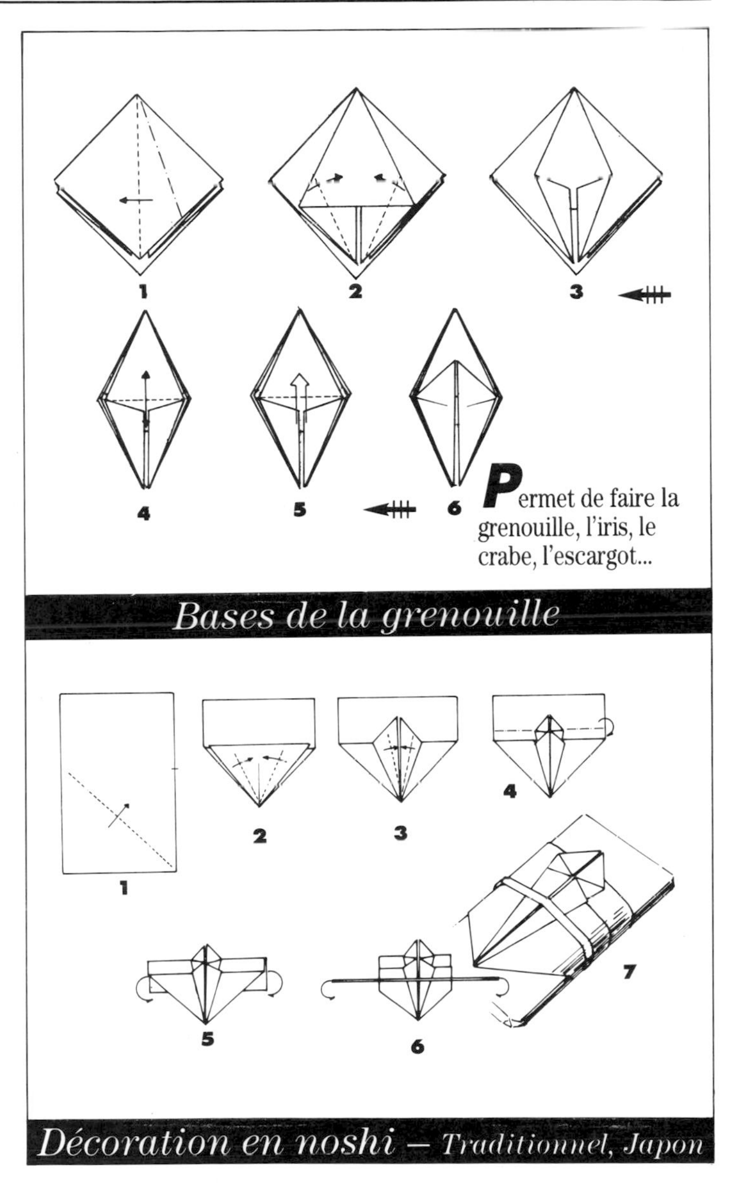

Permet de faire la grenouille, l'iris, le crabe, l'escargot...

Bases de la grenouille

Décoration en noshi – *Traditionnel, Japon*

Un bel emballage, même fait d'une simple feuille de papier, donne à l'objet le plus banal une autre dimension. Ci-contre, bouteilles en offrande dans un temple japonais. Page de droite : une feuille de papier et quelques plis pour présenter une rose ou servir de réceptable au banal coton-tige.

ceur ou en oiseau de bon augure. Qu'ils soient figuratifs ou géométriques, vos paquets-cadeaux seront ainsi personnalisés. Bien vite, les plieurs les plus aventureux comme vous n'auront de repos que lorsqu'ils auront résolu le délicat problème de l'emballage d'une forme sphérique ou triangulaire. Ensuite, ils pourront attaquer les bouteilles, les cannes à pêche et tout autre objet impossible à « coincer » dans une boîte quadrangulaire.
Là encore, sachons refuser le parallélisme de l'emballage ordinaire qui ne tient qu'à l'aide de ruban adhésif et de ficelles. Jouons avec les plis.

Sur ce mode de pliage en accordéon rayonnant, vous pouvez imaginer toutes sortes d'étuis ou de cornets. Des fleurs, mais aussi des cravates, des pinceaux, des peignes peuvent être ainsi présentés. Autrefois au Japon chaque objet symbolique de la condition de femme était enveloppé dans un emballage spécial de ce type pour être offert lors du mariage.

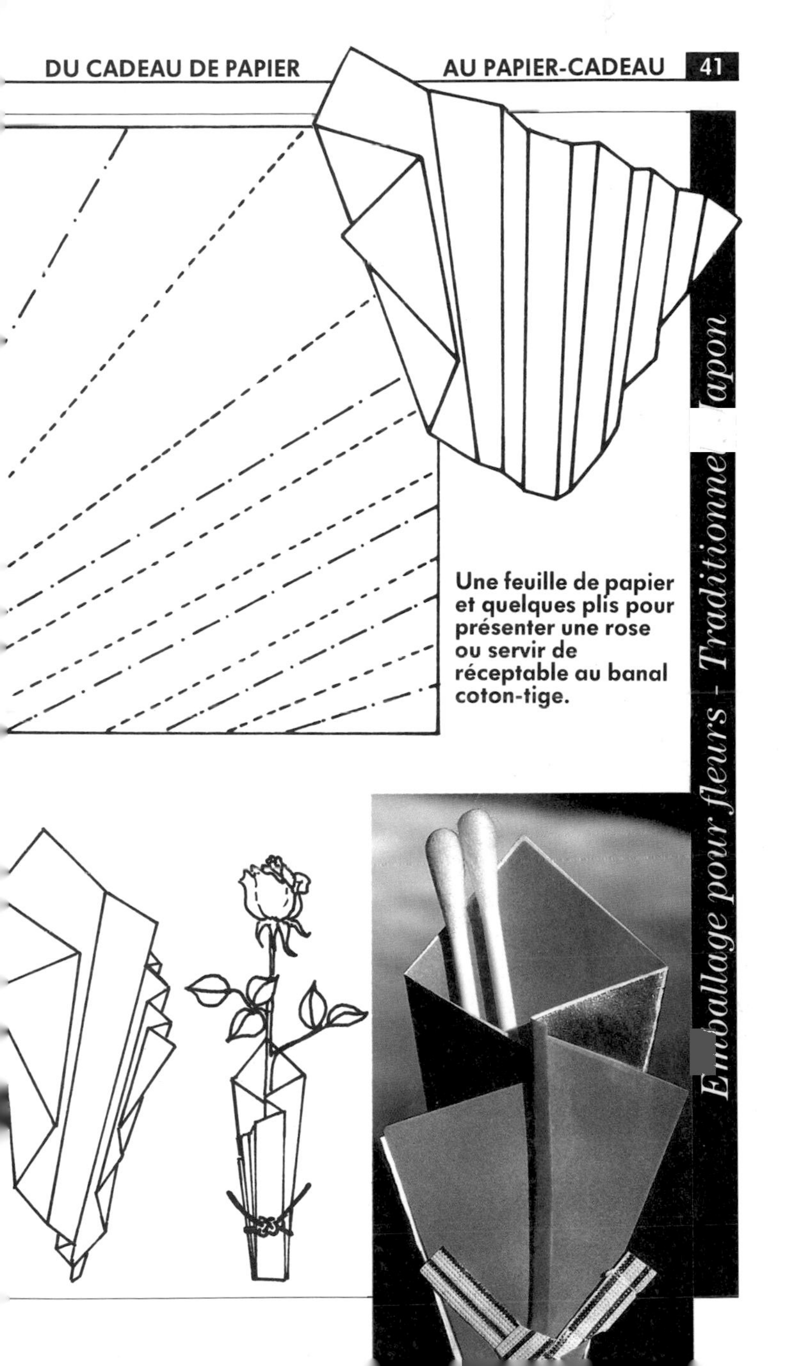

Une feuille de papier et quelques plis pour présenter une rose ou servir de réceptable au banal coton-tige.

PAPIER, QUAND TU NOUS TIENS

VIDONS NOS POCHES, S'IL VOUS PLAÎT, MESSIEURS ! MESDAMES, À VOS SACS !

C'est fou ce qu'on y trouve, n'est-ce pas ? Trions, écartons tout de suite métal et plastique. Voyons ! Tickets de métro neufs et usagés, mouchoirs en papier, papiers de bonbons, tablettes de chewing-gum, note de restaurant, carte postale, reçu de pressing, liste de courses à faire, ticket de caisse, photo, billets de banque, carte de bibliothèque, paquet de cigarettes, pochette d'allumettes, quelques papiers non identifiables qui traînent depuis trop longtemps... Heureux hommes ! Vous avez de quoi inventer le monde rien qu'avec vos fonds de poche.

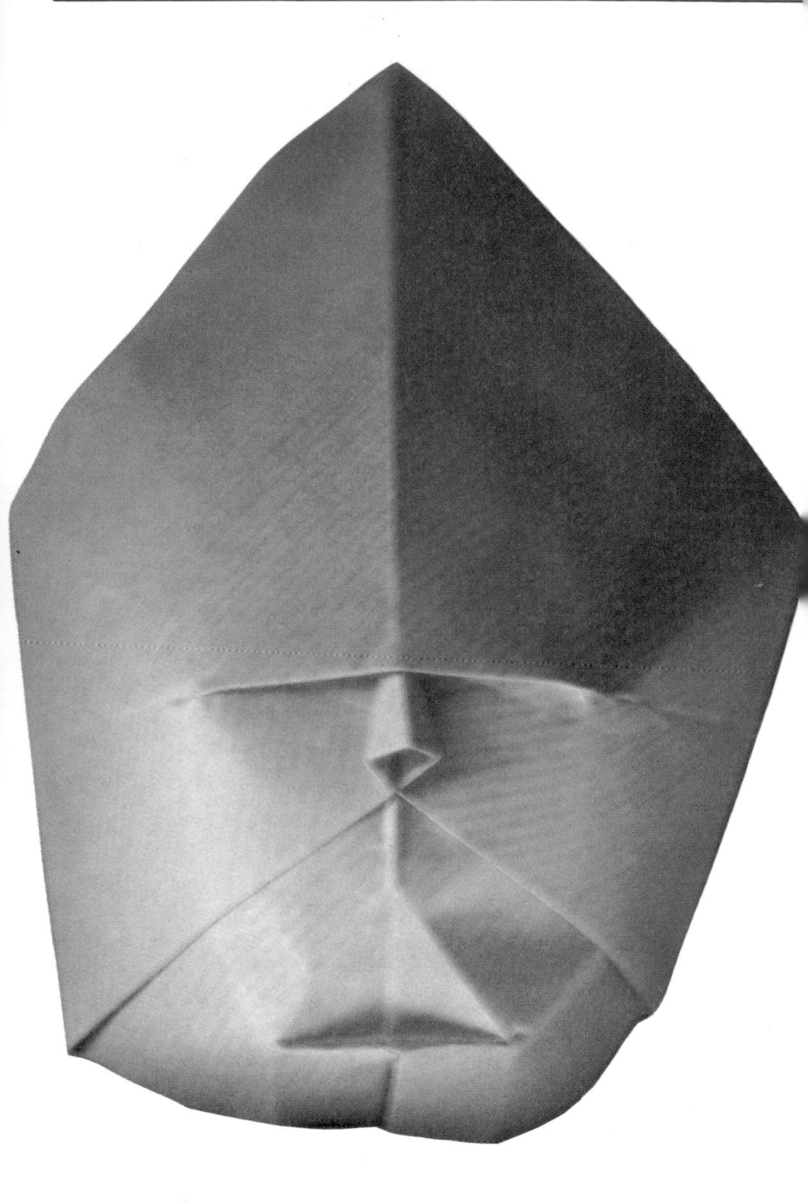

Un bonheur n'arrivant jamais seul, regardez autour de vous ! Papier peint, bloc-notes, essuie-mains, papier d'alu, feuilles de machine à écrire, cahiers, livres, papier-cristal, boîtes à chaussures, affiches s'imposent dans un premier coup d'œil. Appelons Serge Gainsbourg à la rescousse. Sa chanson nous précise : papier chiffon, papier buvard, papier de riz, d'Arménie, papier maïs, papier velours, papier musique, papier dessin, papier glacé, papier collant, papier carbone... papier tue-mouche... Une mine, vous dis-je ! Touchez-les, respirez-les, pliez-les sans retenue, avec passion. Déjà vos doigts choisissent, trient, inventent. Je caresse ici, je froisse là, mais je plie. N'hésitez pas ! Pliez vous aussi. Allons, pas de complexe, vous pouvez le faire. Comme monsieur Jourdain qui faisait de la prose sans le savoir, vous pouvez, vous savez plier.

DATE D'APPARITION DU PAPIER

Chine	105
Japon	610
Turkestan	751
Irak	795
Egypte	960
Libye	1040
Espagne	1151
Italie	1270
France	1312
Allemagne	1320
Belgique	1405
Angleterre	1490
Russie	1566
Hollande	1613
Norvège	1650
Amérique	1690
Canada	1803
Japon (Papier occidental)	1874

Attention, danger ! Détournement de papier

L'un des grands plaisirs de l'art du pliage étant de se confronter à la matière du papier, il devient passionnant d'essayer des textures, des matières nouvelles. Bien sûr, les plus beaux pliages sont réalisés

MANIPULEZ, IL EN RESTERA TOUJOURS QUELQUE CHOSE.

dans des papiers de qualité dont la matière ou le décor ajoutent à la création.
Ces matériaux sont chers et difficilement disponibles. Pour vous qui débutez, ils ne sont pas conseillés, mais la feuille de machine à écrire, le listing d'ordinateur ou la page de cahier seront d'excellents premiers contacts avec le pli.
Retaillé en carré pour correspondre au format traditionnel ou utilisé tel quel, ce support garde parfaitement les plis et résiste fort bien aux mains maladroites.
Vous pouvez aussi vous exercer en manipulant une gamme extraordinaire de papiers. Selon votre caractère, vous choisirez des papiers doux, moelleux, secs, résistants, modelables, craquants. Sachez qu'il n'y a pas de papiers « inférieurs » en origami. Tout juste des papiers peu adaptés à certains pliages, mais parfaits pour d'autres. Il est même recommandé de détourner les papiers de leur fonction usuelle. Un banal journal plié en chapeau fera le bonheur des enfants en veine d'aventure ou une protection très utile pour repeindre le plafond du salon. Détournez une contravention en un pliage de papillon ; ça soulage

Des plis en vrac ou en structures.... Merveilleux papiers qui se plient à toutes les fantaisies !

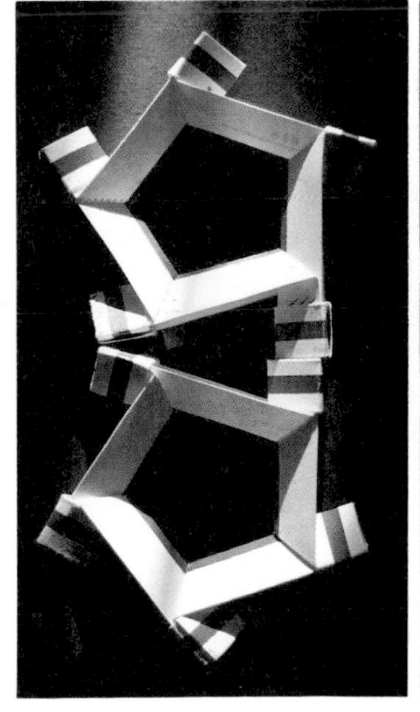

et c'est le seul moyen d'en rire. Triturez un ticket de métro de seconde classe, faites-en naître un oiseau... Par le mystère de l'origami il deviendra un ticket de Première Classe...

Papier chic - pliage choc

Combien de feuilles de papier-cadeau stockées depuis des années dorment-elles dans vos placards dans l'espoir d'une nouvelle utilisation ? Pourtant, vous les aviez soignées, prenant garde à ne pas les déchirer lorsque vous déballiez vos cadeaux, en pensant les réutiliser plus tard. Regardez-les, elles sont encore fraîches et disponibles. Motifs enfantins, décors sérieux pour cadeaux sérieux, impressions décoratives, petits et grands formats... Ce sont tous des beaux papiers. D'autant plus beaux que vous avez choisi de les garder. Il n'est pas nécessaire de se procurer des papiers coûteux, froids et impersonnels lorsqu'on dispose d'un tel trésor. Et quel support merveilleux pour créer des pliages de décoration pour la prochaine fête de famille, des signets pour vos livres préférés, des guirlandes d'anniversaire ou tout simplement de beaux emballages. Les beaux papiers à pliage ne sont

Recyclage
Près de 1 200 tonnes de papier sont jetées chaque jour en France. Et si on les recyclait en... origamis !

L'ÉLÉGANCE DE LA SIMPLICITÉ.

Du kraft plié en chemise pour faire un étui à cravate, du papier reliure pour faire un coquetier... Quelques plis suffisent à mettre en valeur la matière et la couleur du papier.

pas forcément les plus décorés, les plus brillants ou les plus rares. Ils ont le « chic », l'élégance de leur simplicité. Parmi eux, le papier kraft est l'une des matières préférées des plieurs. Sensuel au toucher, il peut supporter de durs traitements. Vous pouvez vous y confronter en toute sérénité.

Dès les premiers progrès acquis, vous tenterez la pratique de papiers plus précieux, plus amusants ou plus esthétiques en fonction de votre humeur créatrice. Du papier de bonbon au billet de banque !

Formats : tradition et modernité

À l'opposé de la tradition extrême-orientale qui utilise le format carré, l'Occident s'adonne de préférence à la feuille blanche ou unie, de dimension moyenne, de format 21x29,7 cm. Le papier blanc, détachant mieux les plis et les formes, joue plus délicatement avec la lumière et se prête plus facilement aux pliages de structure, de rythme et de volume. Il est probablement le plus près d'une expression artistique alors que le papier des enfants japonais s'avère plus proche du jeu et du décor.

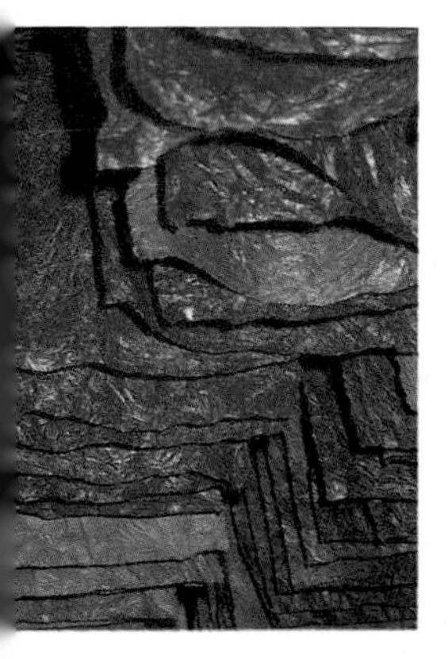

En fait toutes les surfaces sont bonnes pour le pliage. Les formats les

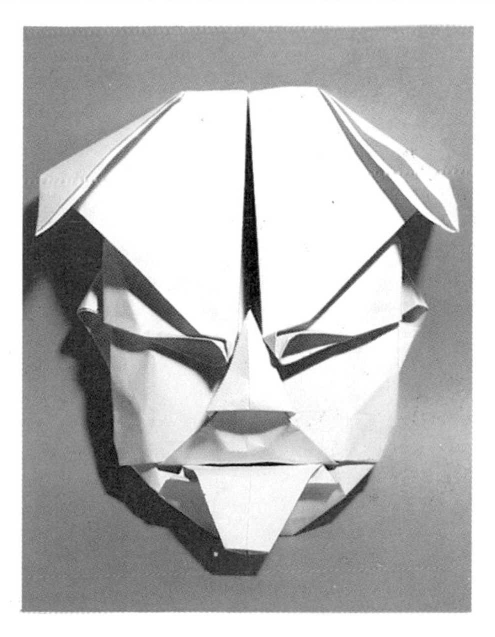

plus rares, cercles ou triangles, requièrent pourtant une grande connaissance du pliage.

La main, le meilleur outil de l'homme

Vous avez tous deux mains, dix doigts répartis à égalité ? Vous possédez donc l'outil indispensable pour le pliage. Il vous faut bien évidemment une matière : le papier. Mettez les unes et l'autre en relation... Une histoire d'amour est en train de naître. La main prend, palpe, retourne le papier. Les doigts soulèvent, écrasent, lissent, font

glisser, superposent, écartent, évasent, arrondissent, modèlent. Dans la majorité des cas, vous n'avez besoin que d'eux. Parfois, vous serez appelé à faire une entaille à l'aide d'une paire de ciseaux, à maintenir plusieurs feuilles ensemble avec une pince à linge. Très rarement vous aurez recours à la colle. Exceptionnellement, vous pourrez envisager l'utilisation de fil de fer, d'agrafes, de carton pour renforcer vos créations. Mais pour rigidifier un origami, il est préférable de mouiller le papier à l'éponge ou au brumisateur, dans le but de durcir les plis au séchage et de permettre

de les sculpter mieux.
Quel que soit le matériau, Japonais et Occidentaux sont d'accord avec le maître Yoshizawa, un des grands du pliage : « Un origami doit être aussi dépouillé que possible. Si vous devez le peindre ou le décorer pour le rendre compréhensible, ce n'est plus un origami. »
En d'autres termes, la règle d'or de l'origami peut s'énoncer ainsi : il suffit d'une feuille de papier et de dix doigts, sans colle, ni ciseaux, ni crayon.

Les gammes

C'est une évidence de dire qu'en origami, le cheminement du pliage est aussi important que le travail terminé. Vous devez avant tout éprouver du plaisir à le faire et ne pas vous torturer l'esprit par une recherche trop poussée de la complication. Finalement, lorsque vous aurez créé

votre propre pliage l'objet abouti ne sera que le résultat de votre démarche ; c'est donc à travers elle que vous devez rechercher la satisfaction. Concevoir un origami ne requiert pas nécessairement des années de pratique. À n'importe quel niveau, on peut faire preuve d'imagination et de nuance, à condition de ne pas croire au génie spontané, mais plutôt à l'observation vécue de certaines règles de base. L'origami

est autant logique qu'imaginatif. Si le hasard peut intervenir parfois, prenez garde à ne pas trop vous y fier sous peine de ne jamais pouvoir reproduire et transmettre la forme si facilement découverte.
Avant toute chose vous devez débuter par des gammes et avant cela vous familiariser avec le solfège des plieurs. Ces gammes vous apparaîtront bientôt d'une simplicité enfantine. Pour les réaliser, il est large-

Ne vous lancez pas trop tôt dans les plis compliqués, vous risqueriez de vous décourager. Mais rien n'est impossible en matière de papiers : Ce jeu d'échecs ne réclame après tout qu'un peu de temps, de patience, et.... de papier !

ment conseillé de travailler à plat sur une surface rigide comme une table ou un gros livre. Les plieurs avertis travaillent souvent dans l'espace, du bout des doigts, mais eux connaissent la musique depuis longtemps. Il est indispensable de toujours bien marquer les plis sur toute leur longueur, de superposer parfaitement les lignes qui doivent l'être et de travailler avec souplesse, sans crispation. Un pli bien marqué doit pouvoir se retourner naturellement sans effort puisque le principe de base du pliage consiste en inversion de plis. La feuille de papier doit être parfaitement plane et se plie des deux mains, l'une pour maintenir l'ensemble déjà plié, l'autre pour ajuster le pli suivant. Lorsqu'on plie une feuille en deux, on doit joindre les deux bords ou les deux angles opposés, les maintenir d'une main, marquer le centre du pli avec l'autre main et écraser ce pli sur toute sa longueur à partir de là. Essayez, il est moins difficile de le réaliser que de l'écrire.

Enveloppe, cornet de glace, oiseau, grenouille, poisson, cerf-volant !

Cette énumération poétique n'est pas une recette de sorcellerie. Ces termes sont les noms de baptême

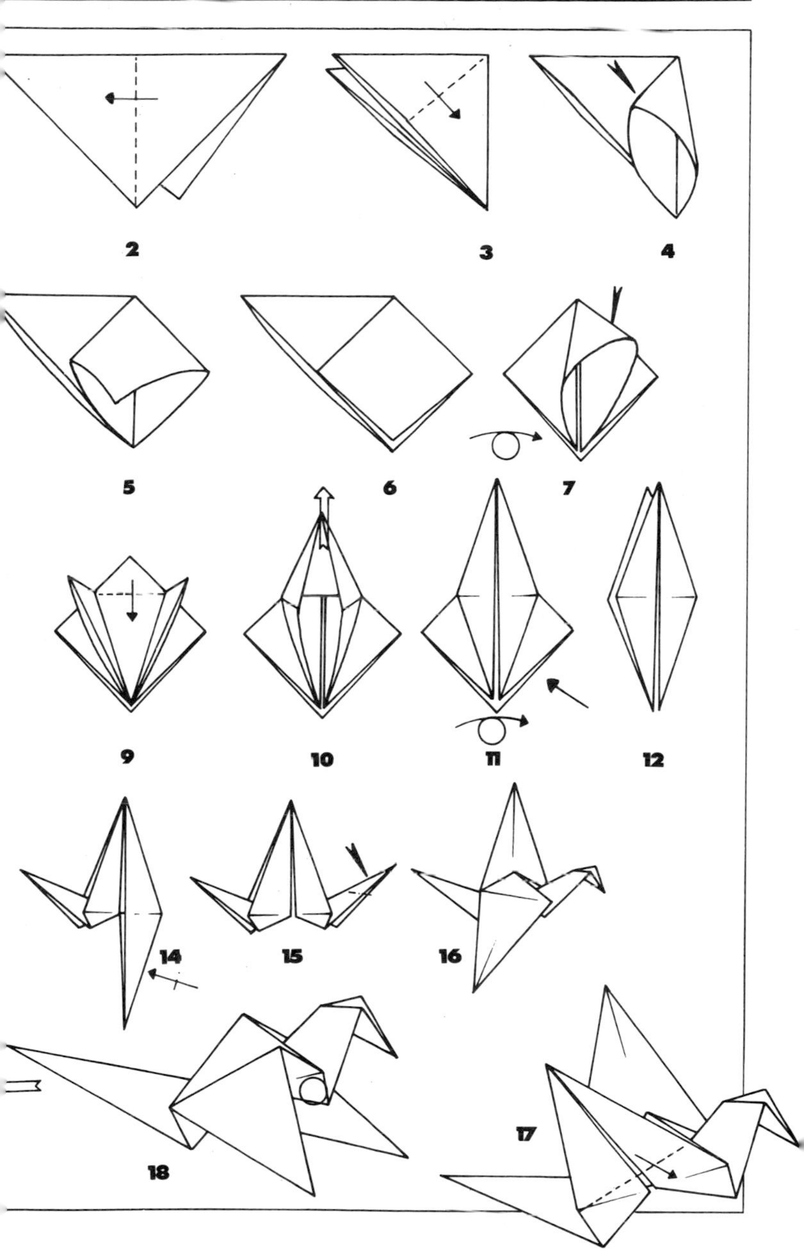

2
3
4
5
6
7
9
10
11
12
14
15
16
18
17

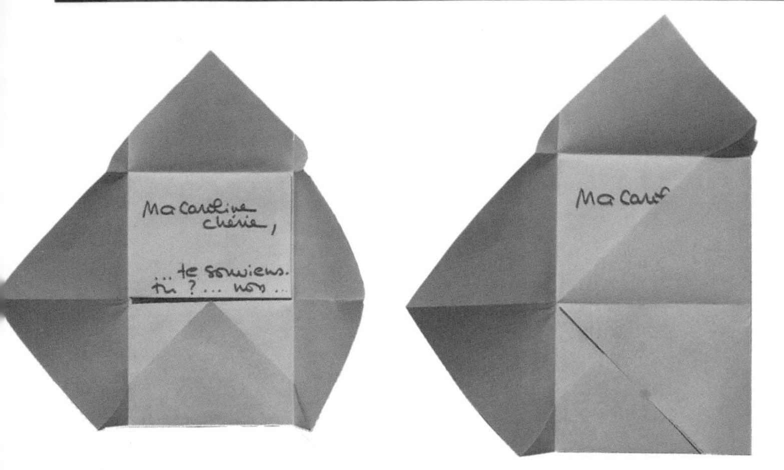

des bases les plus importantes de l'origami.
Ainsi la base de l'oiseau permet de faire la grue, l'oiseau qui bat des ailes, mondialement connu, mais aussi une multitude de pliages qui n'ont rien à voir avec les oiseaux.
Ces bases déterminent des surfaces et un certain nombre de « pointes » plus ou moins longues ou étroites.
Dès le départ on peut ainsi prévoir le nombre de pattes ou d'ailes possible pour la réalisation d'un animal, le nombre de pétales pour une fleur ou le nombre de membres pour un personnage.
On peut également plier sans bases classiques, mais cela demande une parfaite connaissance de l'origami.
À vos bases ! Prêts ? Pliez !

Faites du moindre de vos mots doux une œuvre d'art qui leur donnera encore plus de valeur, et que votre destinataire aura envie de garder.

Des mots pour le dire...

De l'usage du pli dans la langue française : On ne se méfie jamais assez des plis. Du diplôme au pli bleu urgent ou au pli de l'huissier, le pli nous implique, non seulement dans notre vie quotidienne, mais il s'introduit subrepticement dans notre langue.

Que l'on se complique la vie ou qu'au contraire l'on s'emploie à la rendre plus facile, on « prend le pli » et cela « sans faire l'ombre d'un pli ». Certains déploient beaucoup d'énergie sans toutefois « plier l'échine », à expliquer, ou répliquer. De ceux qui veulent « marquer le pli », d'aucun le font plusieurs fois pour multiplier, tandis que d'autres se contentent de le répéter une fois en dupliquant comme l'architecte conçoit un duplex. À moins qu'ils ne se « plient en deux de rire ». On plie « contre » en appliquant ou en rappliquant. On plie « dedans » en impliquant ou pour rendre les choses implicites, « sans faux pli ». Mais on déplie en expliquant ; ce qui est explicite. Les agressifs supplicient ceux qui supplient avant qu'ils n'osent effectuer un « repli stratégique » ou qu'ils ne « plient bagage ». Ceux-ci n'ont évidemment rien en commun avec ceux qui plient « avec » : les complices qui aiment « dans les plis du cœur » ou les compliqués.

Qui dit œuf, dit coquetier.
L'œuf étant créé, il faut le manger sous peine de se voir envahir par les cocottes. À cette fin, nous avons conçu, chers gourmets, un coquetier à plier le temps de la cuisson dudit œuf. Trois minutes maximum pendant lesquelles vous pouvez prendre une feuille de papier de machine à écrire pliée longitudinalement en trois afin d'en faire le trône de votre œuf à la coque. Suivez les indications ci-contre, et l'œuf viendra s'y asseoir naturellement.

MALICES, MAGIE ET ART DE LA TABLE

ORIGAMI ET MAGIE ONT TOUJOURS ÉTÉ ÉTROITEMENT LIÉS.

L'origine religieuse du pliage le plaçait déjà à la frontière du mystère. Du music-hall au zinc d'un bistro, la magie de la transformation, la surprise, l'émerveillement sont les mêmes.
Dans toutes les familles, il y a un conteur d'histoires, un bricoleur invétéré ou un cordon bleu de génie.

Plus rarement, il y a le « magicien », celui qui connaît des trucs pour égayer les réunions familiales. Son savoir n'est pas extraordinaire, mais il arrive toujours à captiver l'attention de tous. Détenteur des Secrets, il ne divulgue que très rarement les ficelles de son art. Peut-être est-ce mieux ainsi, car ce qui compte n'est pas l'objet réalisé mais la manière astucieuse de sa présentation. De toute façon, même si nous connaissions le truc, il en est comme pour les « bonnes » histoires : on ne s'en souvient jamais. Et c'est peut-être là, la magie.
C'est ce que pensaient, émerveillés, les visiteurs de l'Exposition Universelle de 1900 qui virent des magiciens japonais attirer les foules en faisant naître des papillons de papier des plis d'un éventail. Pour la première fois, l'origami était présenté au public occidental. La presse de l'époque s'empara de ce nouveau mystère et la mode du pliage se répandit comme de la poudre à éternuer. Dans le milieu de la variété, tout le monde a voulu plier du papier.

C'EST MAGIQUE

Si vous ne pouvez résister au plaisir " d'épater la galerie " avec vos premiers origamis, n'oubliez pas que c'est le résultat final que vos spectateurs attendent. Or, il vous faudra du temps et quelques hésitations pour y parvenir... Alors, faites comme tout prestidigitateur : parlez ! Racontez ce que vous faites avec l'accent du mystère ; c'est déjà du spectacle !

L'éventail magique

Ce classique de la magie n'était que le perfectionnement de l'« éventail

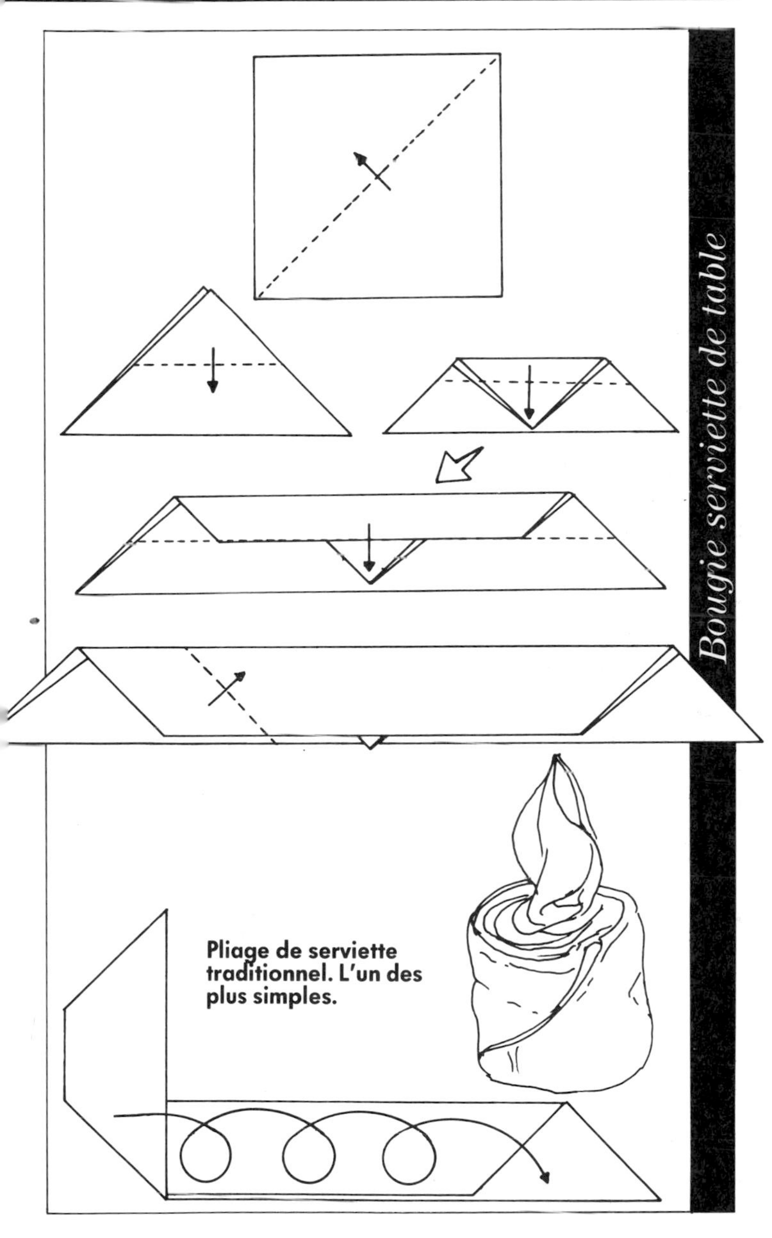

Pliage de serviette traditionnel. L'un des plus simples.

magique » que l'éducateur jésuite français Jacques Ozanam avait publié dès 1725. Basé sur le principe du pliage en accordéon, il permettait de réaliser trente-trois figures différentes. Objets nécessairement très variés dans leur forme : pont, salière, chapeau, cheminée, banc... La force de ce tour était de partir d'une forme apparemment très simple et de la décliner en une multitude de facettes. Sans être aussi magique, vous pouvez pratiquer ce principe avec un simple carré de papier. Les figures obtenues seront uniquement décoratives, mais si vous utilisez de beaux papiers, vous pouvez vous constituer un stock étonnant de sous-verre qui épateront vos invités. Il suffit d'enrouler, de rabattre les angles ou les côtés vers le centre, de faire des plis en accordéon ou en rosace. Avec un peu de déchets au début, vous obtiendrez vite des formes très satisfaisantes. C'est ce que fit la prestigieuse maison Hermès en publiant il y a quelques années une brochure intitulée *Comment nouer un carré* et destinée à conseiller les acheteurs des quelque 400 000 foulards imprimés chaque année. L'ouvrage présentait quinze pliages conçus selon trois bases simples allant de la cocarde au nœud papillon, en pas-

La magie des chiffres

Malgré l'excellence du papier, il faut savoir qu'on ne peut replier une feuille plus de huit ou neuf fois sur elle-même. Cependant, le calcul mathématique permet d'imaginer des calculs irréalisables en vrai pliage.
Quelle épaisseur de papier obtiendrait-on si on repliait la feuille cinquante fois sur elle-même ?

Réponse : 0,1 mm x 2^{50} = 0,1 x $(2^{10})^5$ = 0,1 x $(10^3)^5$ = 10^{14} mm soit 100 millions de kilomètres.

sant par le jabot et la collerette. Si la matière utilisée était la soie, les principes de pliage restaient les mêmes qu'avec le papier.

L'enfant chéri de la magie

Le pliage reste indispensable aux professionnels de la magie, même si peu d'entre eux l'utilisent exclusivement. Il est très souvent associé au découpage comme le tour classique du « journal déchiré » qui par mystère se « raccommode ». Toutes les caractéristiques du papier sont exploitées en magie : son aptitude à conserver les plis, à faire ressort, à gonfler lorsqu'on l'humidifie, son frottement, sa torsion, sa portance pour le vol...
Prenons un exemple : réalisez une

La chemise du capitaine

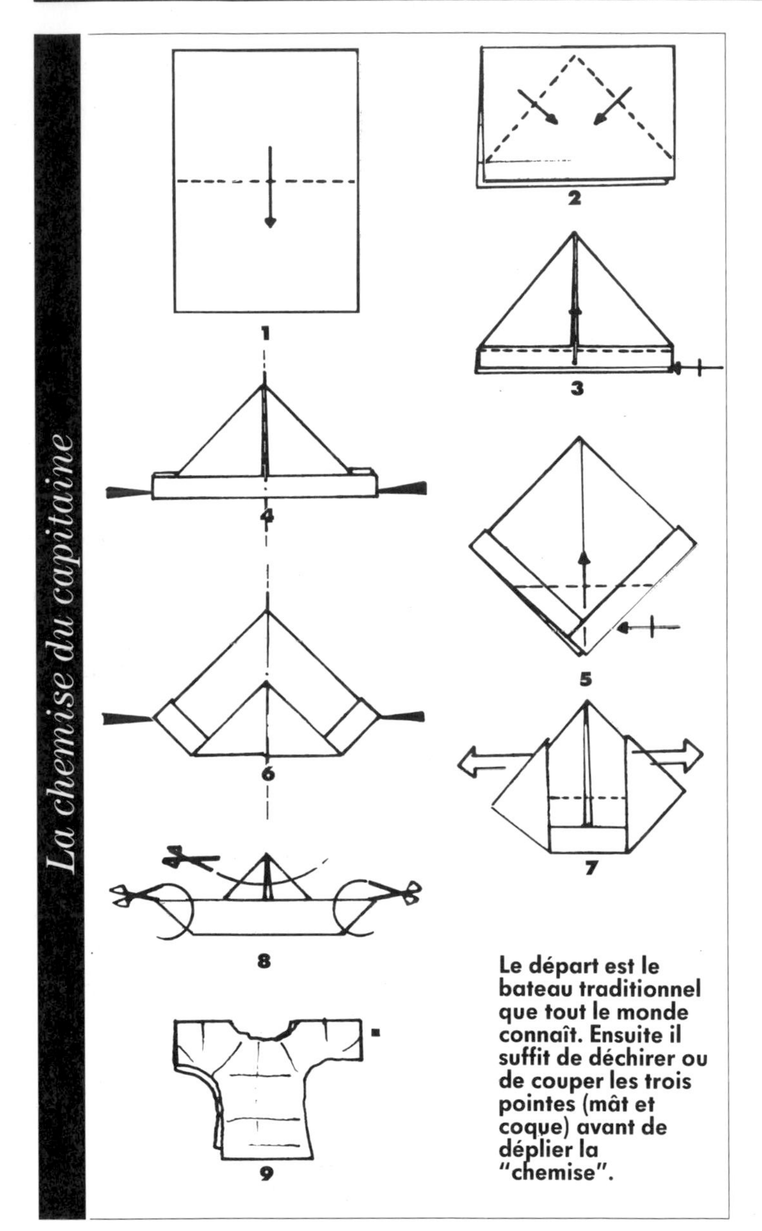

Le départ est le bateau traditionnel que tout le monde connaît. Ensuite il suffit de déchirer ou de couper les trois pointes (mât et coque) avant de déplier la "chemise".

cocotte en papier, dépliez l'animal, constatez que tous les plis de structure restent marqués comme un tatouage et qu'il devient extrêmement simple de refaire la cocotte en un tour de main. Ce genre de préparation est à la base de la plupart des tours avec du papier.
Avec un peu de patience, vous deviendrez les Majax de l'origami. C'est certain !

Regardez, la mer est en furie, les éclairs zèbrent le ciel tandis que la houle se fait de plus en plus forte. Le bateau gîte à en perdre son équipage... Et c'est la catastrophe : la proue puis le grand mât et le château arrière sont arrachés lamentablement. Les chaloupes sont mises à la mer ; le capitaine reste seul sur le pont comme l'impose son devoir. Au lendemain du naufrage, des plongeurs remontent ce qu'il reste de l'épave : une forme qui, dépliée, ressemble à s'y méprendre à la chemise du capitaine !

Facéties enfantines

Sans avoir recours à de savants traités, les galopins de tous âges et de tous pays se transmettent sans défaillances les ficelles des trucs les plus terribles. De ceux qui agacent les parents comme la bombe à eau ou le soufflet à farine. Cela vous dit quelque chose ? Ou de ceux qui épatent les plus petits comme la chemise du capitaine. La gloire est assurée chaque fois que la manipulation est simple et que le plieur se double d'un merveilleux conteur.

Parfois, une simple découpe permet de passer d'un objet à un autre. Ainsi, le casque du samouraï se transforme en un vaillant poisson rouge. Plus simple encore, le pli ressort qui fait battre les ailes de l'oiseau, fait aboyer le chien ou sauter la grenouille. Succès garanti !

Métro, boulot, bistro...

Les parents ne sont pas plus sérieux que leurs rejetons plieurs. Le trajet en métro, en train ou en autobus leur permet de s'échauffer les doigts et de répéter le dernier truc pour épater les copains. La concentration est de rigueur et on ne se rend déjà plus compte que tous les yeux des voyageurs sont ciblés sur la feuille de papier. Déjà, certains tripotent nerveusement leur ticket dans tous les sens avant de lui en trouver un : barque, oiseau, feuille d'arbre. Pour sûr ! ils ne sont pas terribles ces petits origamis jaunes rayés de marron, mais avec un peu d'imagination ils ressemblent quand même à quelque chose. On tripote, on manipule, on se titille l'esprit pour faire mieux. On cherche désespérément un meilleur support dans ses poches. C'est là qu'intervient la liste des commissions, la note de pressing ou le papier métal des paquets de cigarettes.

Au détour du zinc

Où montrer ces trouvailles magiques ? Sur le lieu de travail on trouve toujours le temps... Mais c'est au café, surtout entre hommes, que cet étalage de savoir-faire se pratiquera le mieux. C'est pourtant plus risqué,

Un plan de métro parisien s'obtient facilement dans la plupart des grandes stations. Mais on le corne, on l'abîme, on le perd...
Quelques plis en font un objet original, qui a le mérite d'être pratique.

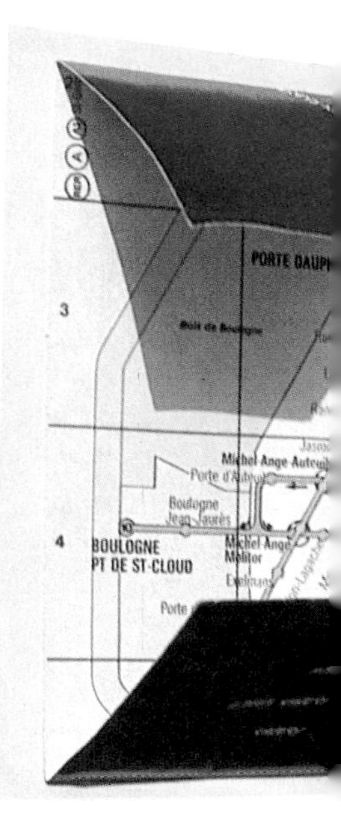

UN SIMPLE TRAJET POUR S'ECHAUFFER LES DOIGTS.

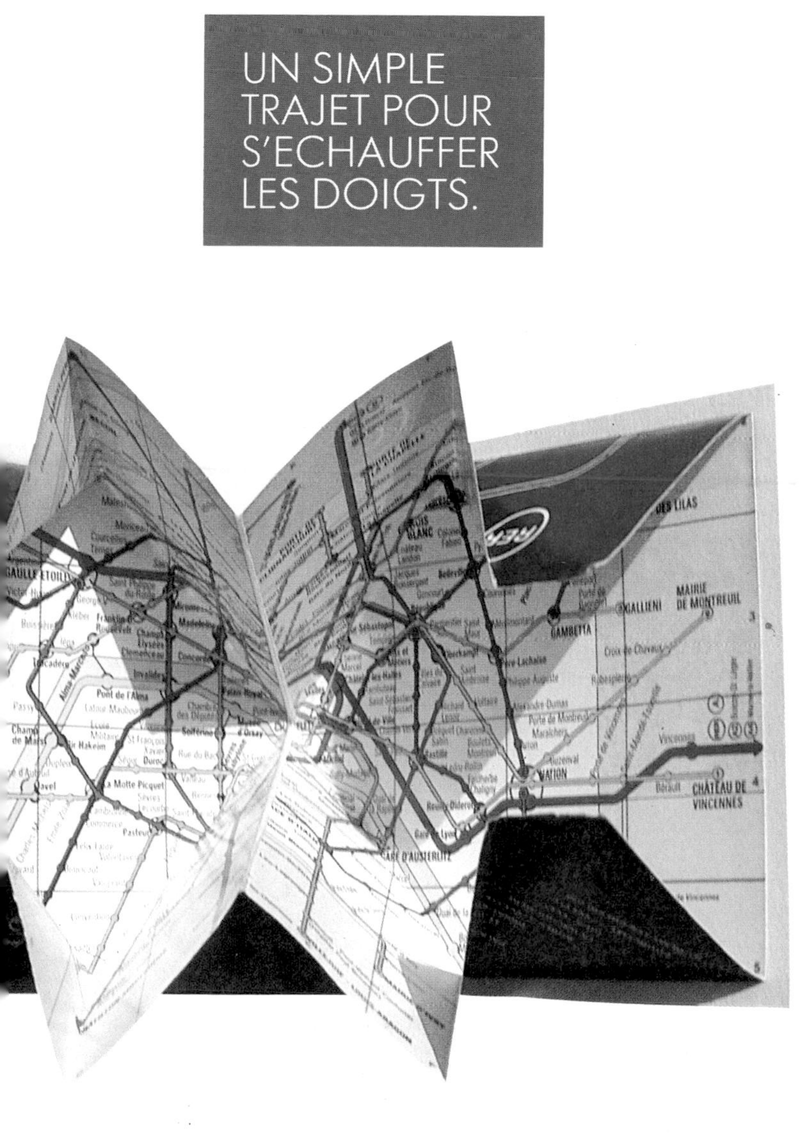

la tournée étant l'enjeu des paris autant que le prestige de la vedette. Parmi les classiques : comment plier en deux une cigarette sans la casser ? Ne comptez pas sur l'auteur de ces lignes pour vous révéler l'astuce. Les échecs nombreux précédant la découverte de la solution ne peuvent être qu'une heureuse incitation pour arrêter de fumer. Par contre, on peut dévoiler sans dommage pour le prestige le truc du ver de terre qui se tortille quand on lui donne à boire. Il suffit de faire un rouleau serré avec le ticket de consommation et de le presser dans le sens de la longueur. Le ver obtenu apprécie tous les types de boisson et se tortille d'aise. L'effet sera toujours le meilleur si vous utilisez les moyens du bord (ou du bar) : paquet de cigarettes, serviette en papier, enveloppe de chewing-gum, journal ou bulletin de loto. La majorité de ces trucs ne demande que des pliages faciles comme la torsion, l'enroulement ou la torsade. Dans ce domaine, l'anneau de Moebius reste le classique des classiques. Il ne demande qu'une simple torsion de la bande de papier avant le collage des deux extrémités. L'anneau obtenu présente la particularité de n'avoir ni envers, ni endroit, ce qui est déjà étonnant. Mais lors-

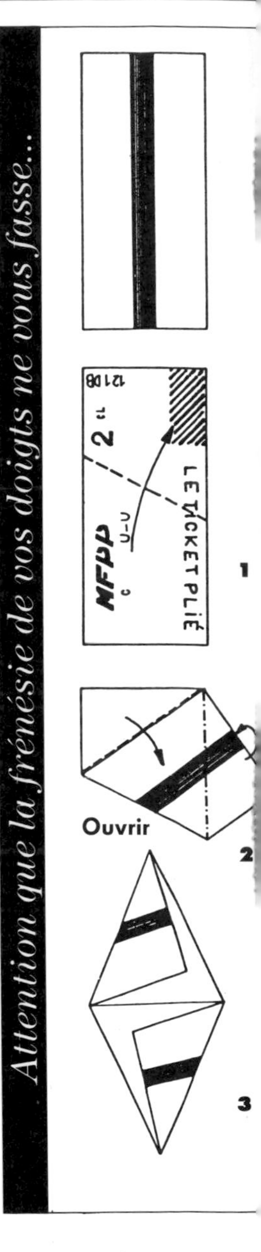

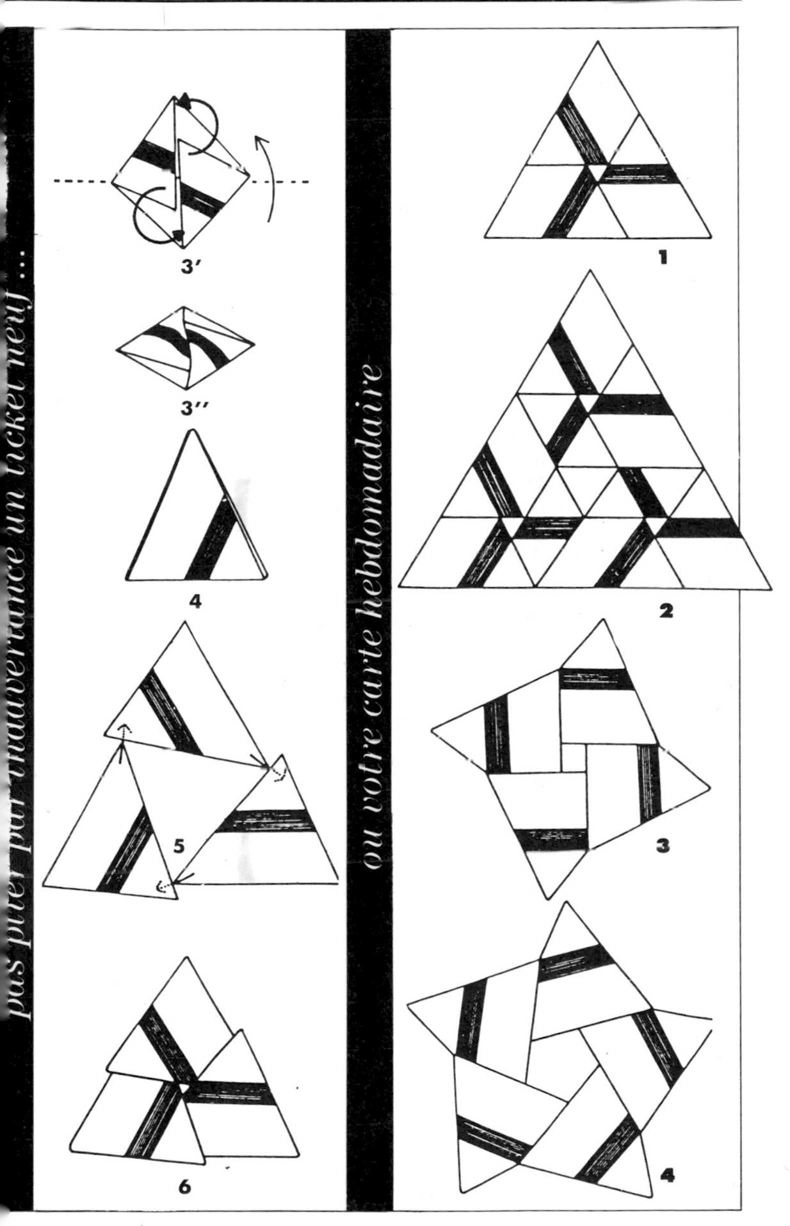
ou votre carte hebdomadaire
3′
3″
4
5
6
1
2
3
4

Bombe à eau ailée

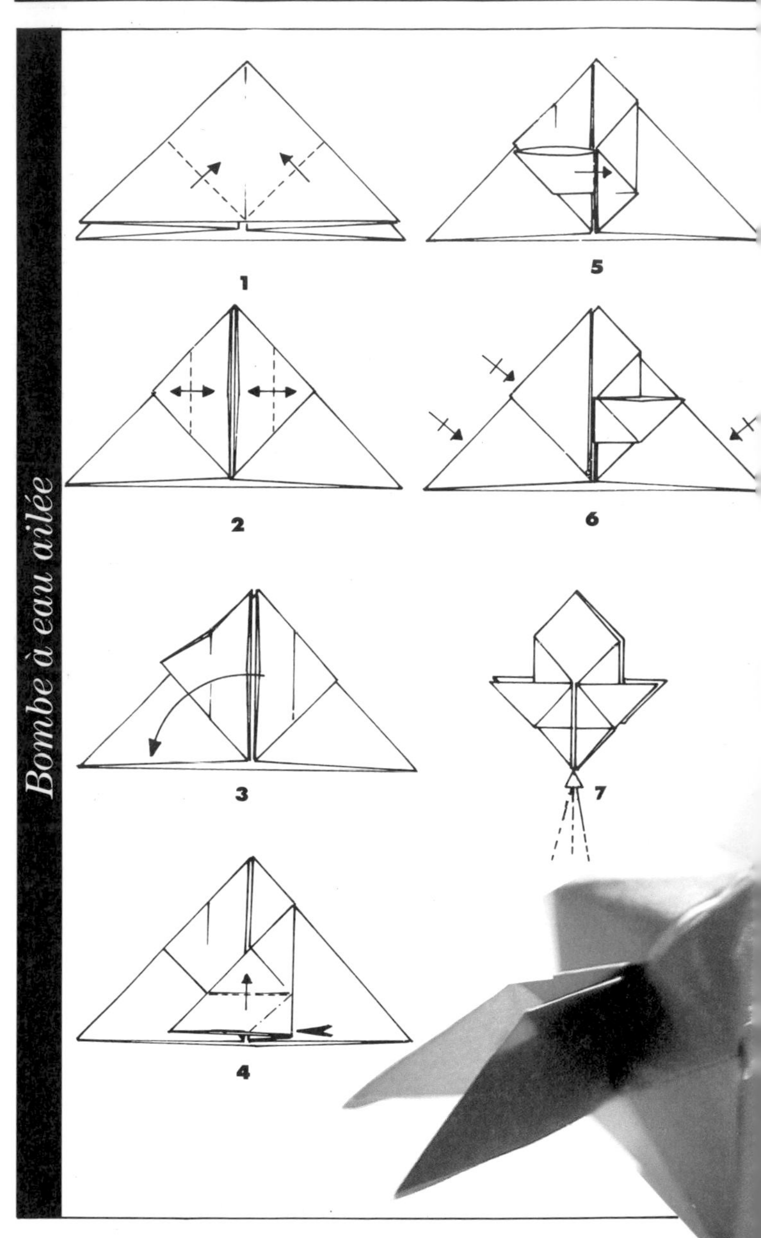

que vous le découpez en deux dans le sens de la longueur, vous obtenez deux anneaux l'un dans l'autre. Évidemment son pliage est réduit à la plus simple expression. Guère plus compliqué, mais réel pliage : le pentagone. Demandez à quelqu'un de vous dessiner un pentagone. Dur ! dur ! Mais avec l'aisance qui vous caractérise, prenez une bande de papier, faites-en un nœud que vous aplatissez délicatement. Vous venez de concevoir une merveille de la géométrie qui selon sa taille devient un sous-verre, l'étoile d'une baguette magique, la crosse et le canon d'un revolver...

Bec bavard et pliage subversif

D'autres pliages étonnants appliquent vraiment les règles de l'art origamique. Le « bec bavard » que connaissent tous les enfants pour singer leurs professeurs, les différentes variations sur les pliages sonores (pétards), les leviers mobiles et autres culbutos, les sifflets appartiennent à cette noble famille. Ils doivent leur succès au mouvement qui les met en action. Mouvement magique du « cheveu invisible » qui consiste en une bande pliée en deux et légèrement incisée à l'endroit où on la tient et que l'on actionne en

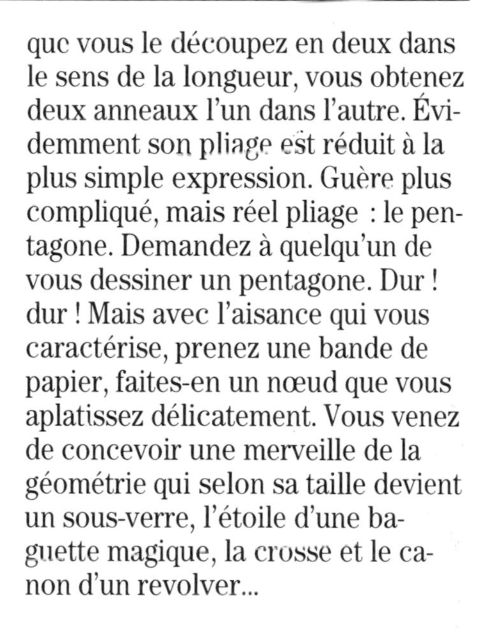

BOMBE À EAU AILÉE.

Très bonne illustration d'un volume obtenu à partir d'une feuille plane. La bombe à eau traditionnelle asiatique était une boîte à musique (on y enfermait des mouches...) ; en Espagne on lui ajouta des ailes.
– Partir de la base préliminaire 2.
– Ce pliage est entièrement basé sur la répétition symétrique. La seule difficulté est donc de comprendre l'opération de départ (3, 4, 5, 6).

bougeant discrètement le pouce et l'index. Le mouvement semble être dû à l'autre main qui tend et détend un « cheveu invisible » que vous aurez fait mine de fixer préalablement. Mouvement également, prétexte à record comme la grenouille sauteuse dont le saut le plus long est actuellement de 1,78 m avec un papier cartonné de 5x8 cm.

De l'infiniment petit à l'infiniment grand

Depuis son origine, l'origami est attiré par la virtuosité. Particulièrement par l'infiniment petit, voire par le microscopique. Si le record absolu dans ce domaine s'avère être la grue, le symbole de l'origami, pliée par Y. Watanabe en 1986 partant d'un carré de papier aluminium de 1 mm de côté, d'autres plieurs se sont spécialisés dans cette délicate technique sans avoir recours au microscope pour les voir. C'est le cas,

en France, de Gérard Ty Sovann qui présente une mise en scène du « jardin d'Eden » composée en 1 500 pièces dont les plus grandes mesurent 2 cm. Tous les animaux de la Création y figurent dans leurs proportions et leurs attitudes justes. Ce plieur méticuleux expose également des origamis conçus dans des timbres-poste qu'il agence dans des œufs de caille ou des sabliers.
Dans le domaine du gigantesque, la limite reste la taille des papiers disponibles. Cependant, de nombreux plieurs adoptent cette échelle pour créer des événements lors d'expositions de pliages. Ils suivent en cela les traces de certains architectes des années 40 qui imaginè-

Timbres pliés.

rent des demeures de carton pour les sans-abris de la dernière guerre. La surface la plus grande envisagée pour un pliage est un carré de 100 m de côté. Le Mouvement Français des Plieurs de Papier a ainsi été sollicité pour imaginer le pliage d'une « aile volante » de quelques microns d'épaisseur qui partira dans l'espace en 1989. Cette voile doit participer à une course entre Américains, Canadiens, Japonais... et Français. Le premier qui passera derrière la Lune aura gagné ! Encore et toujours de la magie !

À table, les papivores !

Dans le domaine de la magie appliquée, examinons le pliage sous l'angle de la table. Tout d'abord, la décoration de celle-ci. Chacun sait qu'un repas réussi associe la qualité des mets au bon goût de leur présentation. En premier lieu, étudions le pliage des serviettes. Savez-vous que c'est une vieille tradition européenne ? Notre cher roi Henri le quatrième, comme tous les princes de l'époque, appréciait les belles nappes plissées et les serviettes agréablement disposées. Lors de son mariage avec Marie de Médicis, la table d'honneur était décorée de pliages figurant des fruits et des oiseaux.

En raison de la mollesse du tissu, les pliages de serviette sont en général très simples à exécuter. Il faut parfois un élastique, une pince ou les dents d'une fourchette pour maintenir les plis.
– En 6, tirez les pointes en commençant par la plus petite.

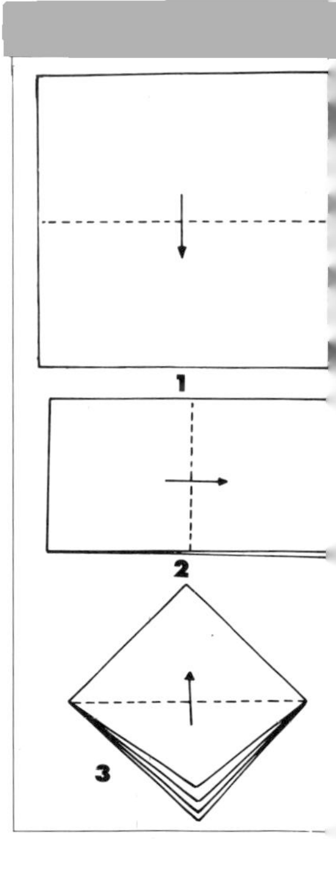

Voilier Pliage de serviette

La tenue un peu molle du tissu n'admet pas des pliages sophistiqués, mais inversement elle permet des nœuds plus efficaces qu'avec le papier. C'est donc un art très facile à réaliser. Certains de ces modèles sont des copies en serviette de pliages de papier simples et classiques comme le bateau, l'éventail ou les oreilles de lapin. La plupart sont des pliages à mettre dans les verres ou les assiettes, mais il existe aussi une tradition de porte-couverts, de pochettes pour le pain et même de gondoles pour les faisans ou les rôtis.

Des pliages « bonne pâte »

Tous les enfants adorent jouer aux pâtissiers. La cuisine ressemble malheureusement à un champ de bataille après les exploits des petits chefs. Le plus maladroit des apprentis saura pourtant s'en sortir avec brio si le pliage est au rendez-vous. Rien de plus aisé que de découper des carrés dans la pâte brisée et d'en replier les côtés ou les coins. Les marmitons en herbe peuvent aussi les tuyauter, les plisser, les enrouler ou les torsader. Reste à y introduire une crème onctueuse, un fruit, une olive ou quelques miettes de thon avant de les passer au four. Devant

tant de bonne volonté, les mères doivent, elles aussi, mettre la main à la pâte. Que sont les plats en papillotes sinon des pliages ? Un feuilleté de saumon ? Ici, point de papier, direz-vous ! Tout juste de la pâte ou des feuilles d'aluminium. Sachez qu'il existe des papiers huilés conçus pour la cuisine.

La pâte brisée est la plus facile à travailler pour un enfant. Elle ressemble tant à de la pâte à modeler. Pour les adultes qui seraient tentés par ce genre d'exercice, la pâte feuilletée s'avère indispensable. Elle n'est autre qu'un pliage ! L'avez-vous oubliée ? Etalez la pâte de base au rouleau. Sur la moitié de la couche obtenue, étendez une couche uniforme de beurre.

Repliez la partie non beurrée sur l'autre ; passer au rouleau. Repliez en trois ; roulez ; repliez encore jusqu'à six fois de suite... A la cuisson, vos « amuses-gueule » s'ouvriront comme les pétales d'une pivoine.

Chacun à sa place

Il reste à placer les invités autour de la table. Un pliage portant leur nom ou un origami différent sur chaque verre permettront à chacun de retrouver sa place. On peut agré-

menter le tout en réalisant un petit porte-fleur, un porte-couverts, un menu, des sous-verre, un rond de serviette ou des guirlandes si la réception l'oblige. Lors des dîners familiaux, les enfants peuvent encore participer en concevant un ramasse-miettes ou une poubelle de table. Pour leur propre dînette, ils peuvent imaginer leur vaisselle. Le plus facile à réaliser sera le gobelet traditionnel que trouvaient les pilotes de l'U.S. Air Force dans leur manuel de survie. Une page était consacrée au mode de pliage de cet ustensile ; page que l'on découpait pour la plier.

Depuis peu, les adultes ont droit eux aussi à leur vaisselle de papier. Il ne s'agit pas des verres ou des assiettes en papier préformé, mais bel et bien d'un origami astucieux qu'a imaginé un jeune étudiant des Arts Appliqués, François Azambourg. Son école lui ayant demandé de concevoir une cafetière, il décida de la réaliser

La plus grande cocotte du monde *Le Provençal* du 25 février 1988 nous apprend qu'au carnaval de Mérignac, dix personnes ont plié un carré de 25 m² en une cocotte de 3,60 m de haut. Le poulet a été décoré par 250 enfants avant de finir au bûcher. Personne ne dit s'il a été digeste.

en papier ! Baptisée Expresso Solo, elle fait 9 cm de haut et elle est fabriquée dans un papier spécial, imperméable et non toxique. Elle contient l'équivalent d'une dose de café moulu et d'une tasse d'eau. Pour se préparer un petit noir, il suffit de poser Expresso Solo sur une source de chaleur sèche comme un radiateur électrique. Quand la température atteint 80°, l'eau fait sauter la pellicule qui la sépare du café. Vous retournez alors la cafetière, le café est prêt ! Après dégustation, tout se jette. L'origami, c'est fou, non ? Enfin, tout bon repas devrait se terminer par des pliages. Si le cœur vous en dit et si vous organisez un repas oriental, rien ne vous empêche d'appeler vos invités à faire des origamis avec des baguettes. Pour ceux qui auraient mal à la tête à la suite de ce petit jeu, c'est le moment de sortir des réserves les sachets de médicaments à la japonaise : un pliage d'enveloppe astucieux qui fait l'office de bec verseur pour les poudres médicamenteuses.

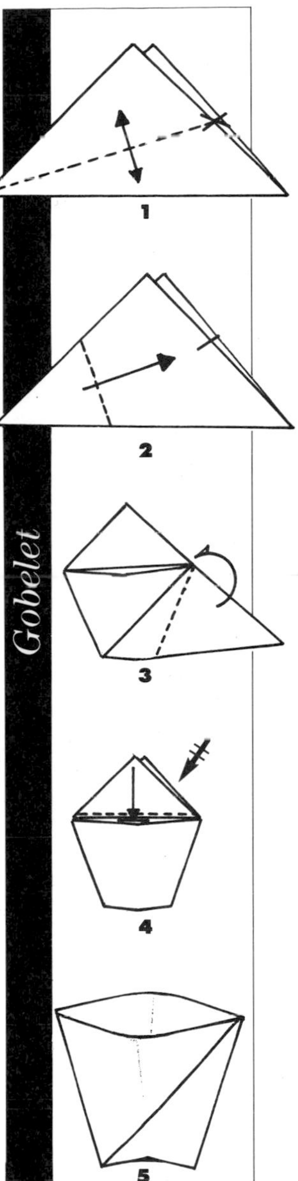

Aucune difficulté pour réaliser ce gobelet qui faisait partie des conseils du manuel de survie de l'U.S. Air Force.

DES PLIS POUR TOUS

LES GRANDS-PARENTS ONT TOUJOURS LA NOSTALGIE DES BELLES CHOSES DU PASSÉ.

Ce sont eux qui savent trouver les mots et le temps pour les transmettre à la jeune génération. Cette tradition du pliage possède un énorme avantage : c'est également un jeu. Très tôt dans son histoire, l'origami a su quitter le domaine de la religion et des cérémonies officielles pour pénétrer les maisons et émerveiller les enfants. Dès l'an 1000, le Japon avait inventé ses cocottes en papier nationales.

Le pliage était un amusement entre aristocrates et dans les pavillons privés, les grands-mères et les petites-filles occupaient ainsi les longues soirées hivernales. Parmi la cinquantaine de modèles existant alors, la plupart sont devenus des classiques en Occident : la grue, la libellule, le singe, l'aubergine, l'araignée, l'escargot, l'iris, la crevette, la fleur de lotus... Trois d'entre eux étaient particulièrement à l'honneur : la grue qui figure l'idéal esthétique japonais, la grenouille dont les qualités de géométrisation sont parfaites et le crabe qui est le pliage le plus élaboré.

Goûters et pliages

Les grands-mères sont patientes, c'est bien connu. Elles ont le don de

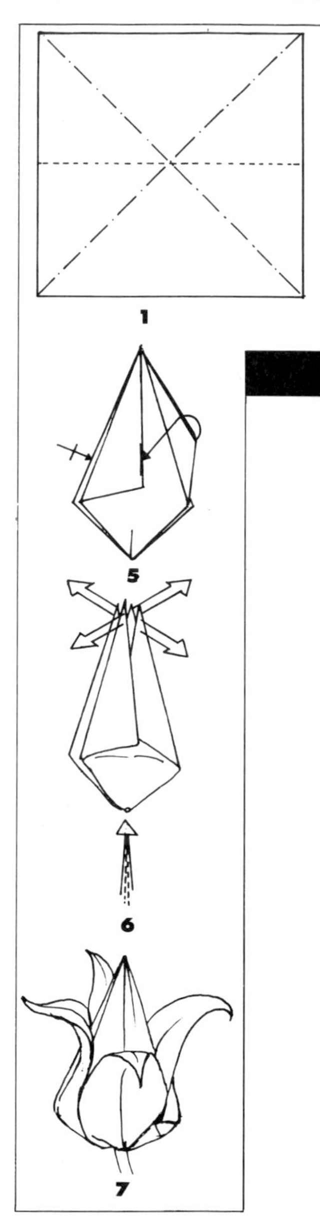

L'une des formes les plus simples de fleur.
– Partir de la base préliminaire 2.
– Intéressant pour le système de blocage (5), la mise en volume du bouton (6) et la finition courbe des pétales en les enroulant autour d'un crayon (7).

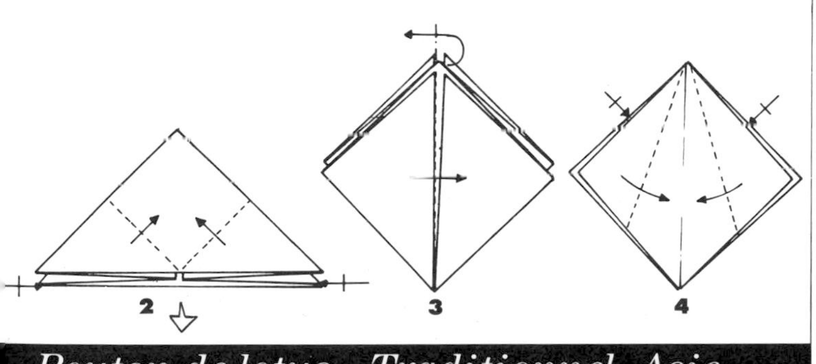

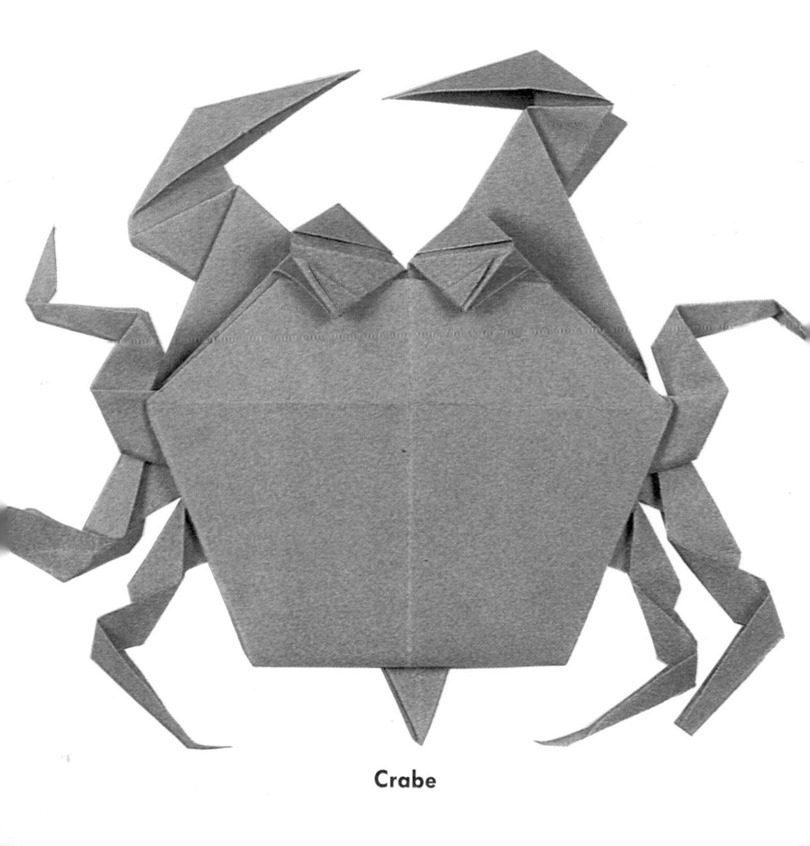

Crabe

trouver, d'imaginer les mille et un jeux pour occuper les après-midi des petits. Elle savent doser la part de la gourmandise, celle de la fête et celle des jeux éducatifs. Certaines ont autrefois appris à l'école à plier des bateaux, des moulins à vent ou la gondole vénitienne car le pliage avait été introduit dès 1882 dans l'enseignement élémentaire français pour les initier au calcul et à la géométrie. D'autres se rappellent que Lewis Carroll, l'inventeur génial d'*Alice au Pays des Merveilles*, amusait les enfants en faisant sauter dans ses bras une souris en serviette pliée.

Quelle joie pour les petites filles de fabriquer une dînette de papier pour leurs poupées. « Madame la marchande, je voudrais vous acheter des pommes. » Et la grand-mère de réaliser de belles bombes à eau dans un superbe papier rouge. « Combien ? » « C'est gratuit si vous m'offrez une fleur. » Et la petite fille de réaliser une fleur blanche dans l'étui d'une paille ou le papier d'un petit gâteau de pâtissier. Ainsi, la grand-mère apprend aux enfants l'art d'offrir et d'échanger avec son cœur et quelques centimètres carrés de papier.

« Allons, les garçons ! Organisons une course de bateau. » Grand-père

C'est le modèle le plus simple de pétard. Pour le faire claquer, il faut prendre la tige entre l'index et le majeur et tirer en glissant vers le haut d'un coup sec. On peut parfois faire plus de bruit en repliant le pliage en tête, cela dépend du papier utilisé.

Les petits Japonais ne connaissent pas le père Noël, mais que cela ne vous empêche pas de créer un origami typiquement occidental pour animer votre non moins typique sapin.

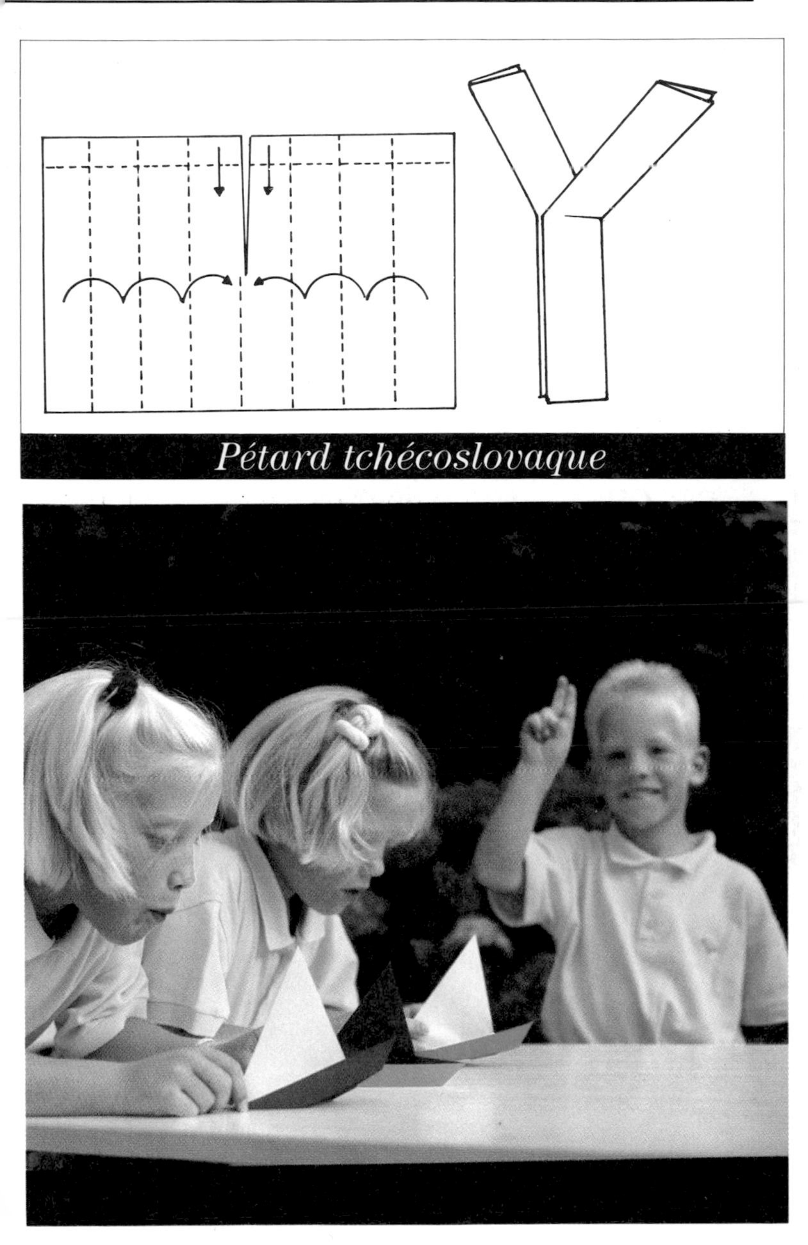

Pétard tchécoslovaque

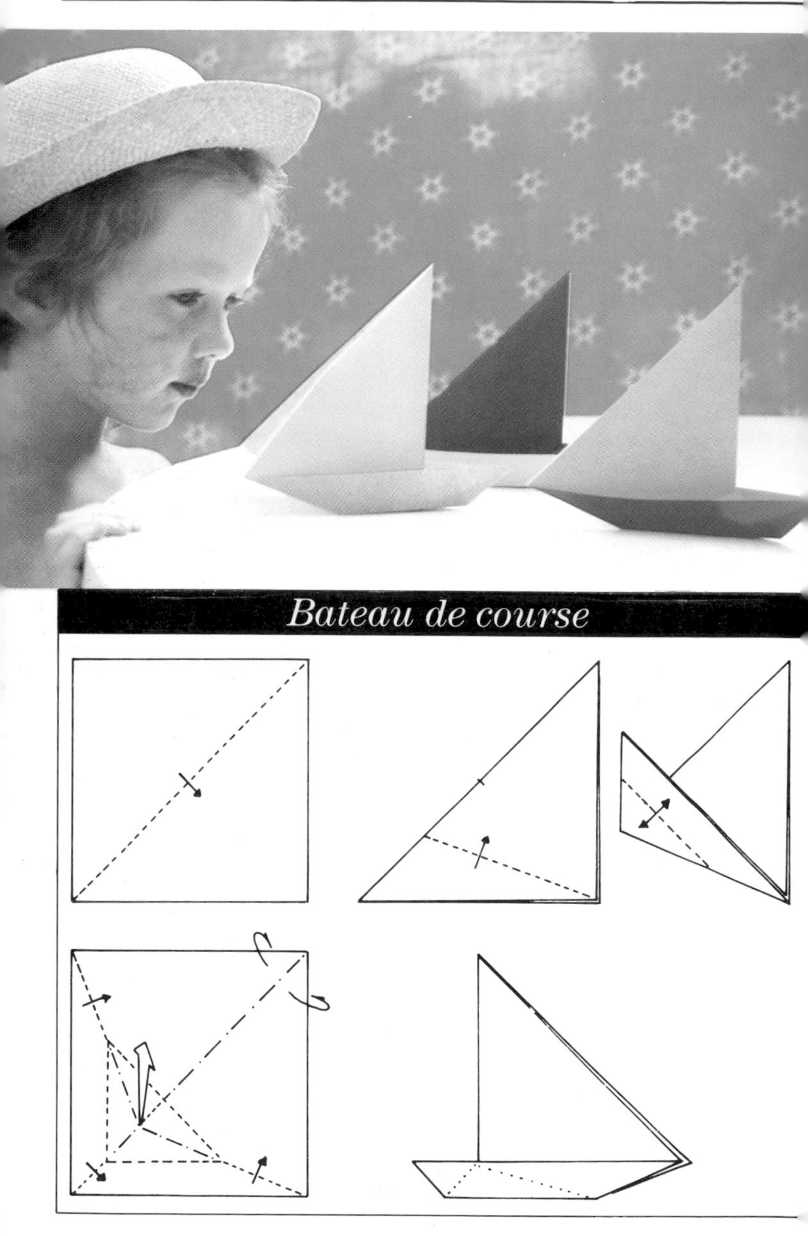

Bateau de course

Très bon exercice pour "lire" un diagramme et comprendre l'alternance des plis "montagne" et "vallée".
– Prendre un papier ordinaire, mais bicolore pour différencier la coque de la voilure.
– Les opérations 1, 2, 3, servent à marquer les plis.
– La difficulté réside dans l'opération 4 où il faut organiser les plis "montagne" et "vallée". Ensuite pliez avec délicatesse et tout se mettra en place automatiquement.
– En 5, écartez les deux pans de la voile et soufflez pour que le bateau avance.

se met au travail ; la construction des navires est un travail d'hommes, n'est-ce pas ? Aussitôt dit, aussitôt fait et les enfants turbulents s'époumonent de rire et de souffler pour franchir la ligne d'arrivée.

La fête des mères

On peut inventer une multitude de cadeaux en pliage. Un banal pot de fleur peut devenir une merveille artistique dans un cache-pot plissé en pétales de fleur. On peut penser aussi à imaginer un joli cadre pour les photos de vacances. Ou encore un étui pour les lunettes, un oiseau à coller sur un pense-bête, une boîte pour les cartes de visite...
N'oublions pas le bouquet de fleurs sans lequel la fête ne sera jamais réussie. Elles possèdent un énorme avantage sur les naturelles : elles ne fanent jamais.
Les pliages doivent être très simples pour les petites mains encore maladroites, mais avec beaucoup d'amour et de beaux papiers, ils seront toujours les plus appréciés.

La princesse des plis

Combien d'histoires merveilleuses nous racontent les trésors d'humanité que peuvent receler certains plis du papier !

Le pli d'un pétale de rose
Nombreux sont ceux qui « plient sous le poids des ans », qui mettent un tas de choses « sous pli » ou se font faire des « mises en plis ». Parmi ceux-ci, il en est qui estiment qu'il « vaut mieux plier que rompre ». N'oublions pas les amoureux de la vieille langue française qui se plaisent à souligner qu'une chose insignifiante est comme « le pli d'un pétale de rose », que voler se disait « plier la toilette », que mourir s'entend aussi « plier son paquet ».

Elles sont trop nombreuses pour être toutes mentionnées ici, mais celle de la petite Ayaka les résume toutes.
« Lorsqu'elle est arrivée dans la classe, Ayaka ne parlait que sa langue maternelle, raconte Anne-Françoise, enseignante à l'École Internationale de Paris. Pas même un mot d'anglais. Elle est venue vers moi et m'a tendu une boîte. Elle contenait un ballon, un oiseau en papier et d'autres origamis. Ce fut une découverte. Toute la classe s'est mise au pliage. Ainsi nous parlions avec Ayaka. L'origami a également développé la maîtrise du geste, la précision, l'attention et la mémorisation chez les élèves. Un arbre couvert de grues, symbole de longévité, dans le hall de l'école en est la preuve. Ils y ont pris beaucoup de plaisir alors qu'avec d'autres méthodes ce type d'exercices manuels ou mentaux les barbaient. »
Parfois, ce sont les adultes qui tentent de communiquer avec les enfants grâce au pliage. L'exemple historique le plus connu met en scène le jeune fils du tsar Nicolas II. Le petit prince, malade, avait d'énormes problèmes de communication avec ses précepteurs jusqu'au jour où Charles Gibbes fut nommé à son service. Pour percer la carapace

Oiseau picorant - Paul Jackson, Angleterre

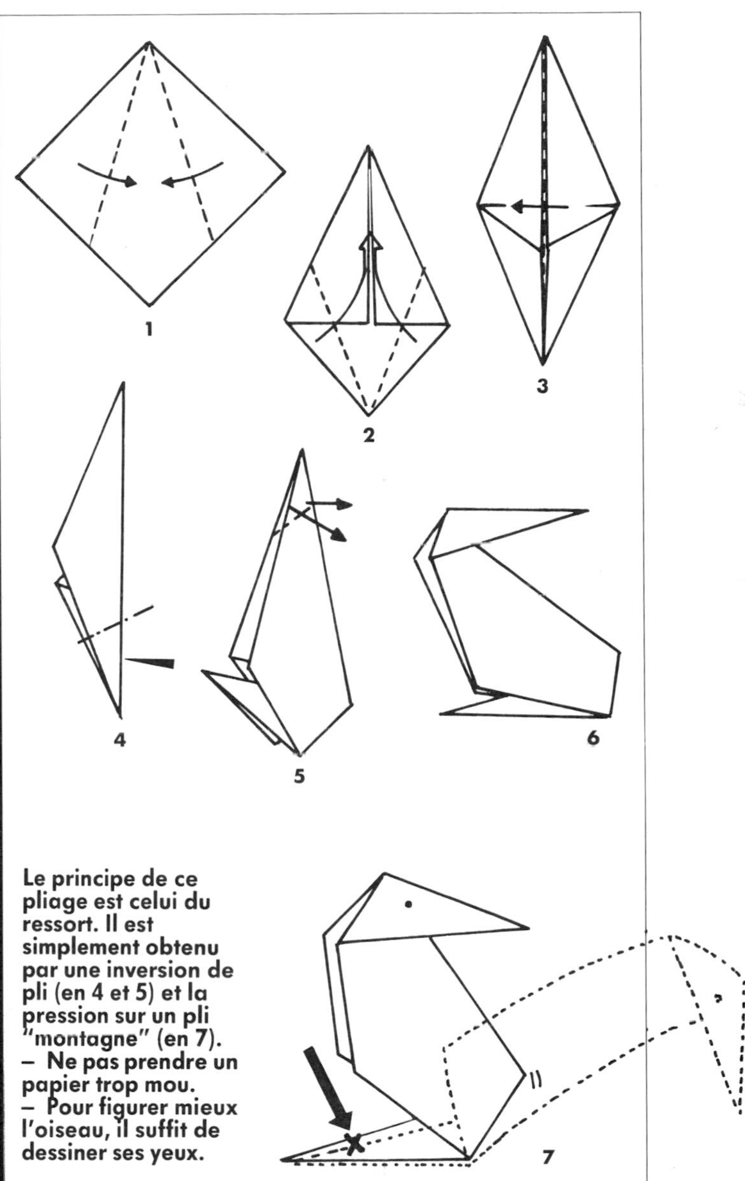

Le principe de ce pliage est celui du ressort. Il est simplement obtenu par une inversion de pli (en 4 et 5) et la pression sur un pli "montagne" (en 7).
– Ne pas prendre un papier trop mou.
– Pour figurer mieux l'oiseau, il suffit de dessiner ses yeux.

muette de l'enfant, Gibbes utilisa l'origami. Le premier pliage qu'il lui offrit fut un chapeau, mais ce simple couvre-chef de prince fit éclater toutes les barrières entre eux. De là naquit une heureuse complicité.
C'est dans le même esprit que de nombreuses infirmières ayant en charge des enfants ou des personnes âgées pratiquent l'origami.
La plus belle histoire, mais aussi la plus triste, est devenue pour le monde entier un symbole de paix. Victime des radiations atomiques d'Hiroshima, Sadako Sasaki pliait des grues sur son lit d'hôpital. Elle utilisait à cette fin le papier des sachets de médicaments en ayant l'espoir que le pliage de mille de ces oiseaux lui apporterait la guérison. Au fur et à mesure de ses pliages, elle associa à son vœu ses camarades d'infortune. Elle plia 644 grues avant de mourir... Émus, beaucoup d'autres enfants dans tout le Japon imitèrent son geste pour perpétuer son désir de réconciliation mondiale. En 1958, on érigea un monument dans le Parc de la Paix à Hiroshima. À son sommet, une statuette de bronze montre cette petite princesse des plis en train de réaliser ces nouvelles colombes de la paix. Des guirlandes multicolores de grues de papier conçues par des enfants du monde

PLI D'IMPRIMEUR

Les amateurs de beaux livres connaîssent la nomenclature : in-folio, in-quatro, in-octavo... qui indique que la page d'impression a été pliée en 2, 4 ou 8... pour déterminer la surface des pages. Quant aux formats des feuilles de papier, leurs noms poétiques, Raisin, Jésus, Colombier, Ecu, Couronne, Grand-Aigle... proviennent de la forme du filigrane marqué au milieu de la feuille.

entier accompagnent depuis le souvenir de Sadako. C'est cette volonté d'espérance qui pousse les gens de cœur à déposer sur toutes les stèles de ce lieu tragique ce si petit objet de papier devenu un si merveilleux symbole.

Guirlandes de grues au parc de la paix d'Hiroshima.

Les mille grues du bonheur

La grue au Japon est un symbole de longue et heureuse vie. Chaque année, son retour est attendu avec impatience, comme la chère cigogne en Alsace. La tradition lui accorde mille ans de vie aussi est-il recommandé de plier un grand nombre (pas forcément mille) de ces oiseaux du bonheur pour souhaiter une bonne santé ou une rapide convalescence à tous les amis malades ou hospitalisés. Même les enseignants ont droit à ce traitement de faveur au Japon... Les plus extraordinaires sont ceux composés de plusieurs oiseaux pliés dans une seule feuille de papier. La feuille est alors entaillée selon un dessin précis de façon à ce que la mère porte ses petits au bout du bec, des ailes ou de la queue. Des guirlandes entières peuvent être réalisées de cette sorte si l'on est habile et patient. De tous ces modèles, le couple de grues s'embrassant du bout du bec est le plus facile à réaliser. Il suffit de deux carrés joints sur un angle. La tradition des mille grues n'est pas morte et certains plieurs occidentaux adaptent cette technique à des pliages de chiens ou de cocottes en papier.

Une autre catégorie de pliages a droit de cité dans le royaume de l'épate. Il s'agit des pliages subversifs. Beaucoup de résistants se souviennent sûrement du pliage des « quatre petits cochons » qui, comme leurs trois congénères des dessins animés luttant contre le grand méchant loup, ridiculisaient l'envahisseur. Deux simples plis successifs transformaient les quatre porcins

Pliage subversif

rigolards en un portrait beaucoup moins souriant de Hitler.

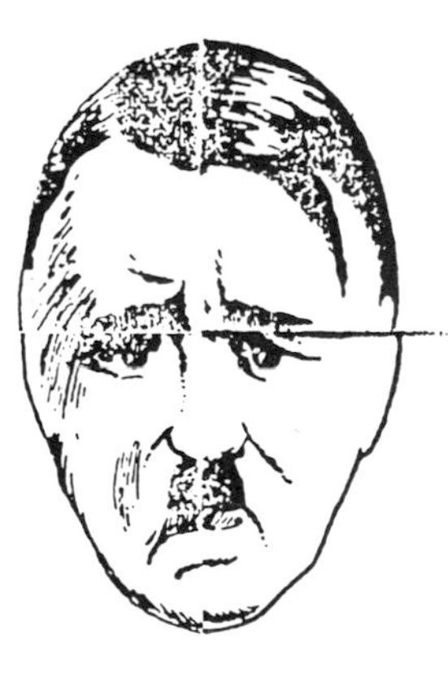

P*rofession* : plieur
Le métier de chaque plieur peut avoir une influence considérable dans les choix et la qualité de ses origamis. Parmi les vedettes internationales du pliage, on trouve beaucoup de magiciens (Robert Harbin, Fred Rohm, Carlos Corda, Paul Jackson...), des peintres (Tibor Pataki, Jean-Claude Corréia, Eric Kenneway...), des architectes (Didier Boursin, Masahiro Chatani...), des scientifiques de haut niveau (Yoshihide Momotani, Roberto Morassi... auxquels il faut ajouter le professeur de physique nucléaire Kodi Husimi). Il faut ajouter à cette liste de très nombreux fonctionnaires anonymes pour qui la cocotte en papier reste un outil de « travail » et les maçons et autres peintres en bâtiment, grands spécialistes des chapeaux en papier journal.

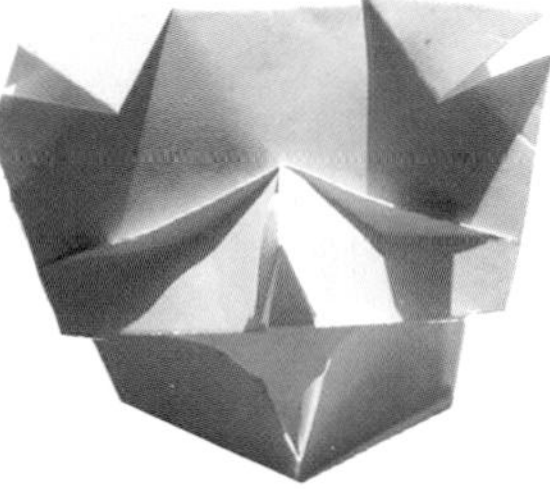

CARNAVAL DE PAPIER

TOUT LE MONDE A EU UN JOUR DE SON ENFANCE UN CHAPEAU EN PAPIER JOURNAL SUR LA TÊTE.

Selon l'humeur, il figurait un chapeau de cow-boy, le feutre d'un pirate ou le hennin d'une princesse du Moyen Âge. Aujourd'hui, grâce à l'origami on peut voyager plus loin dans l'imaginaire et créer des casques de cosmonaute, des bobs de marin, des calots de pilote de chasse ou encore des coiffes de la Sainte-Catherine. D'ailleurs, les chapeliers contemporains utilisent beaucoup le pliage pour les grands shows des défilés de mode.

Que faut-il ? Principalement de grandes surfaces de papier. De préférence solide comme le craft ou le papier d'ameublement bien que le papier journal un peu mou soit encore apprécié pour l'allure comique qu'il présente à la fin d'une journée endiablée. Pour les coiffures hautes, le cornet, très facile à réaliser, est à la base de la création. Pour les chapeaux plus structurés et plats les bases les plus simples comme celle du bateau traditionnel ou des coiffes régionales en tissu.

Déguisements et guirlandes

Un chapeau seul, quel manque d'imagination ! Il faut « origamiser » le déguisement de la tête aux pieds. Le papier journal est ici vivement conseillé pour les chaussures, pantoufles de Cendrillon ou charentaises d'Auvergnat. Les pliages sont

L'origami acteur de théâtre
Le Nom d'un petit bonhomme est le titre d'un spectacle de marionnettes conçu pour les très jeunes enfants. Sur le thème de l'identité, son auteur, Dominique Pompougnac, a bâti un spectacle de 45 mn. Le héros est un petit bonhomme de papier partant à la recherche de son nom et de ses amis. Le manipulateur s'efface ainsi devant l'origami, lui laissant la vraie vie du théâtre. Le programme, outre les indications nécessaires au spectacle, comportait quelques définitions intelligentes sur l'origami et présentait le diagramme de pliage de « l'oiseau qui bat des ailes ».

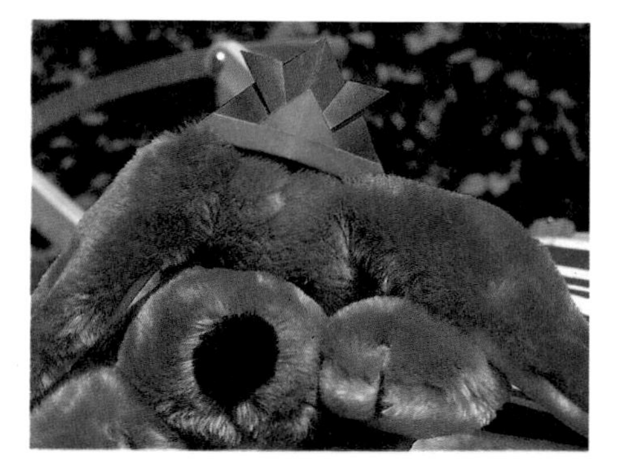

Casque / Poisson – Traditionnel, Japon

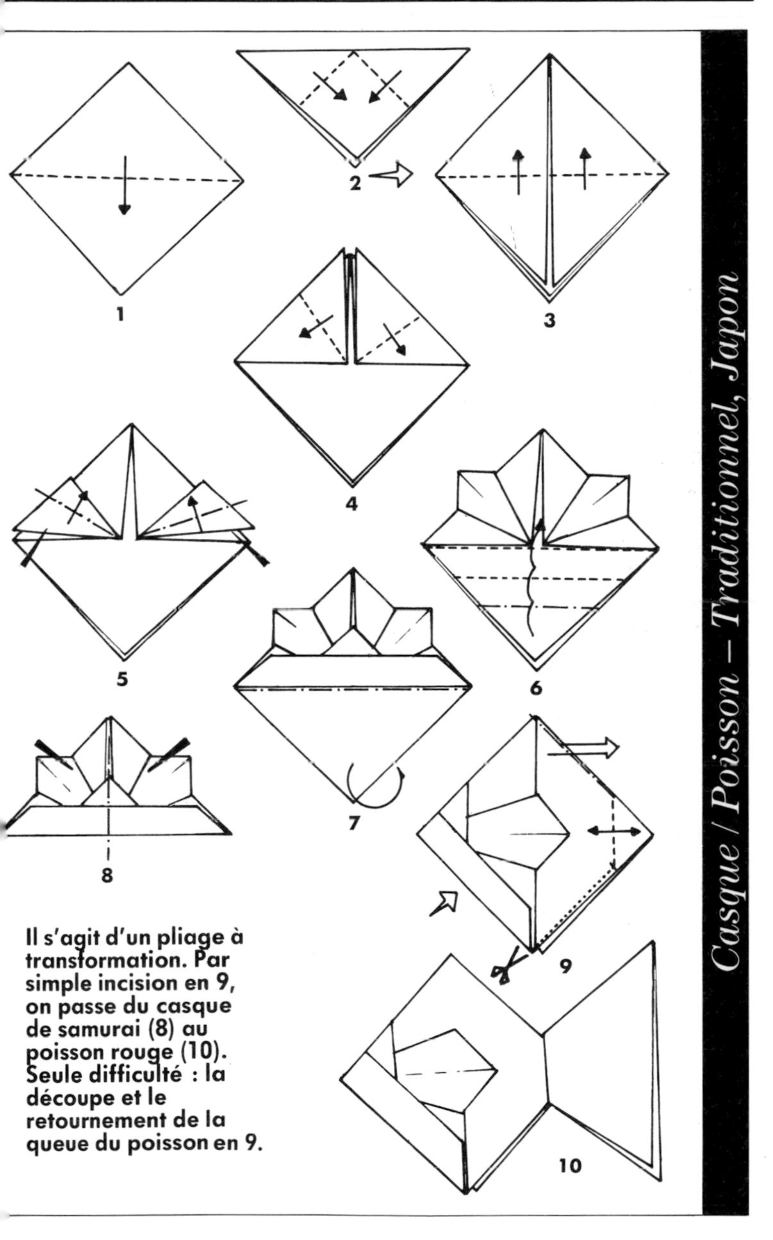

Il s'agit d'un pliage à transformation. Par simple incision en 9, on passe du casque de samurai (8) au poisson rouge (10). Seule difficulté : la découpe et le retournement de la queue du poisson en 9.

Hippocampe réalisé par Etienne Gérard et Hervé Guillot (13 ans 1/2).

plus compliqués que pour les chapeaux, mais avec un peu de ruban adhésif ou quelques agrafes de secours on y arrive très bien. Le costume lui-même est le plus difficile à réaliser surtout si les enfants sont grands. Aussi vaut-il mieux imaginer des accessoires qui orneront la garde robe en papier crépon. La ceinture ne pose aucun problème ; ce n'est qu'un simple nœud et vous avez tous vu déjà les merveilles que réalisent les Japonaises avec la bande de tissu qui serre leur kimono. Vous aurez plus de mal avec l'étoile du shérif à cinq branches... Trichez un peu ; une branche en moins ne change pas la vaillance du défenseur des faibles et des opprimés. Pistolet et holster pour le même

Eléments de décors pour assemblages en guirlande.

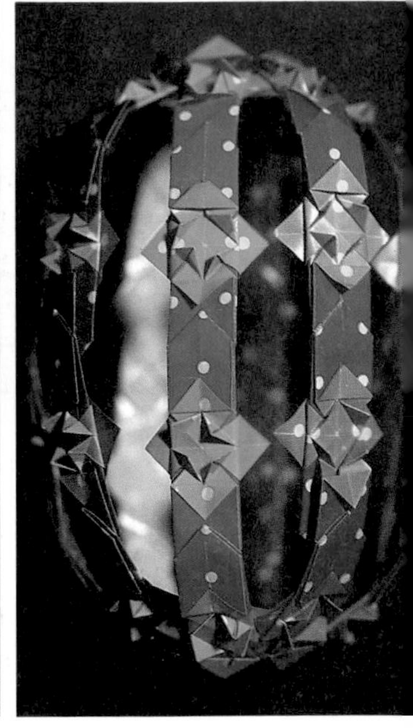

individu ne devraient pas créer de gros soucis. La baguette magique non plus.
Enfin, pour parfaire l'attirail, on peut imaginer de dissimuler les défauts du camouflage de fête par une multitude de guirlandes. Une guirlande est toujours facile à exécuter. Si elle sidère parfois par sa beauté et sa longueur, chaque élément qui la constitue est d'un principe très facile. Faites l'expérience avec des petites bombes à eau de couleurs variées que vous enfilerez comme des perles avant de passer à une ribambelle d'étoiles, de fleurs ou d'oiseaux.

Au royaume des chasseurs de têtes

Un carnaval sans masque n'est pas digne de ce nom. C'est dans ce domaine que le plieur débutant peut le plus aisément trouver son bonheur.
Avec astuce, colle et paire de ciseaux, vous pouvez jouer les docteurs Frankenstein avec bonheur.

Prendre un papier assez résistant et conservant bien les plis, comme le kraft. Un papier uni est préférable pour renforcer les jeux d'ombre et de lumière.
– Si le masque doit être porté, prendre

Masque

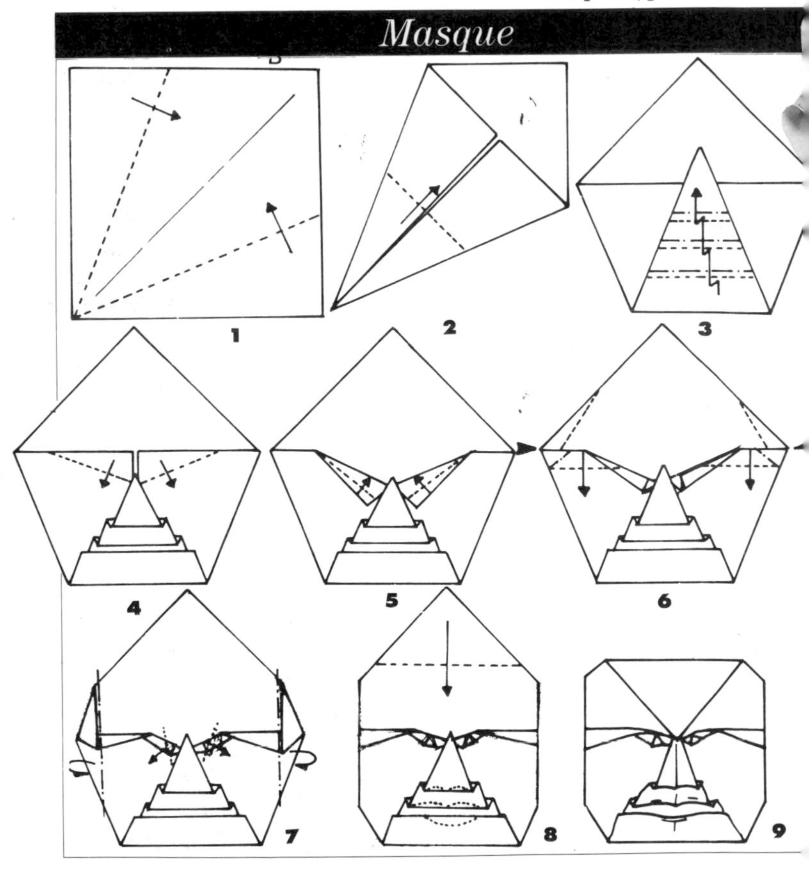

une feuille d'environ 45 x 45 cm.
– Ce pliage est conçu sur le principe du pli accordéon. Il est particulièrement créatif car on peut modifier chacun des éléments en variant la longueur des plis.
– Ce modèle est symétrique, mais on peut concevoir un visage basé sur la dissymétrie en utilisant les mêmes principes de construction. La forme générale du masque peut être nuancée simplement par des replis vers l'arrière.
– Seul pli difficile : le 6. Il faut presser latéralement et en même temps tirer vers le bas.
– En 7, le travail des yeux peut être remplacé par un trou si le masque doit être porté.
– En 8, on peut courber les plis d'expression du nez et des lèvres. Humectez légèrement le papier pour les marquer et les conserver.
Quelques points de colle seront nécessaires pour maintenir les différents éléments.

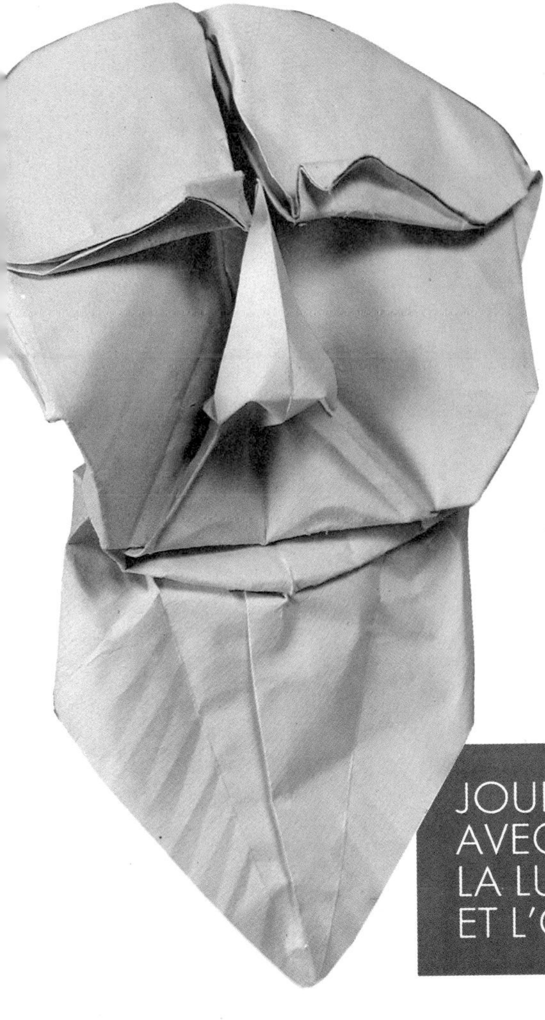

JOUER AVEC LA LUMIÈRE ET L'OMBRE.

Dans l'art de l'origami, la lumière et l'ombre sont vos alliées. Un petit pli ici : c'est une ride, une arcade sourcilière, la lèvre supérieure ; un pli rentré là : c'est une joue qui se gonfle, un nez qui vous saute aux yeux, un menton qui s'escamote ; un peu de pliage classique par ici et sortent deux cornes de diable ; un accordéon par là et les cheveux sont figurés...

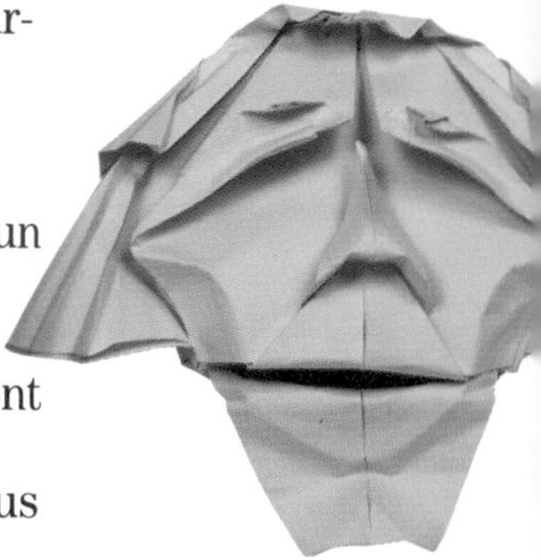

Comme pour le déguisement, il vous faut des papiers assez grands et résistants. Le kraft est le meilleur.

Pour les détails de la mise en forme, il sera parfois nécessaire d'humecter le papier pour le modeler plus facilement et durcir les plis d'expression. Pas d'autres conseils hormis celui d'arrondir les bords du masque en rentrant et collant les surfaces de papier superflues qui ne participent pas à la beauté de l'objet. Maintenant, vous pouvez donner la vie à ce visage tendre, comique ou effrayant en lui ouvrant les yeux.

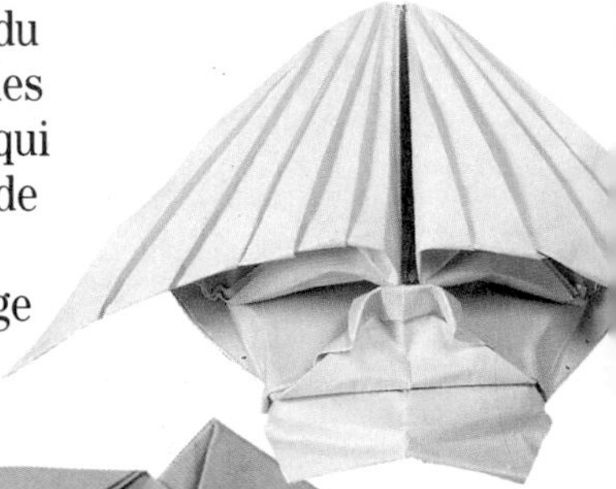

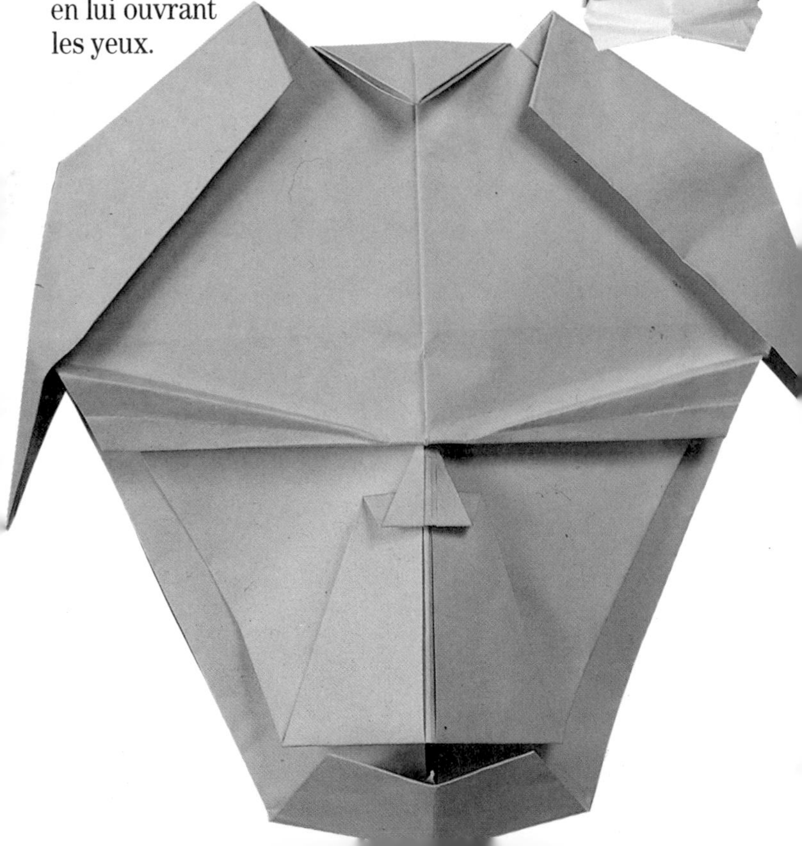

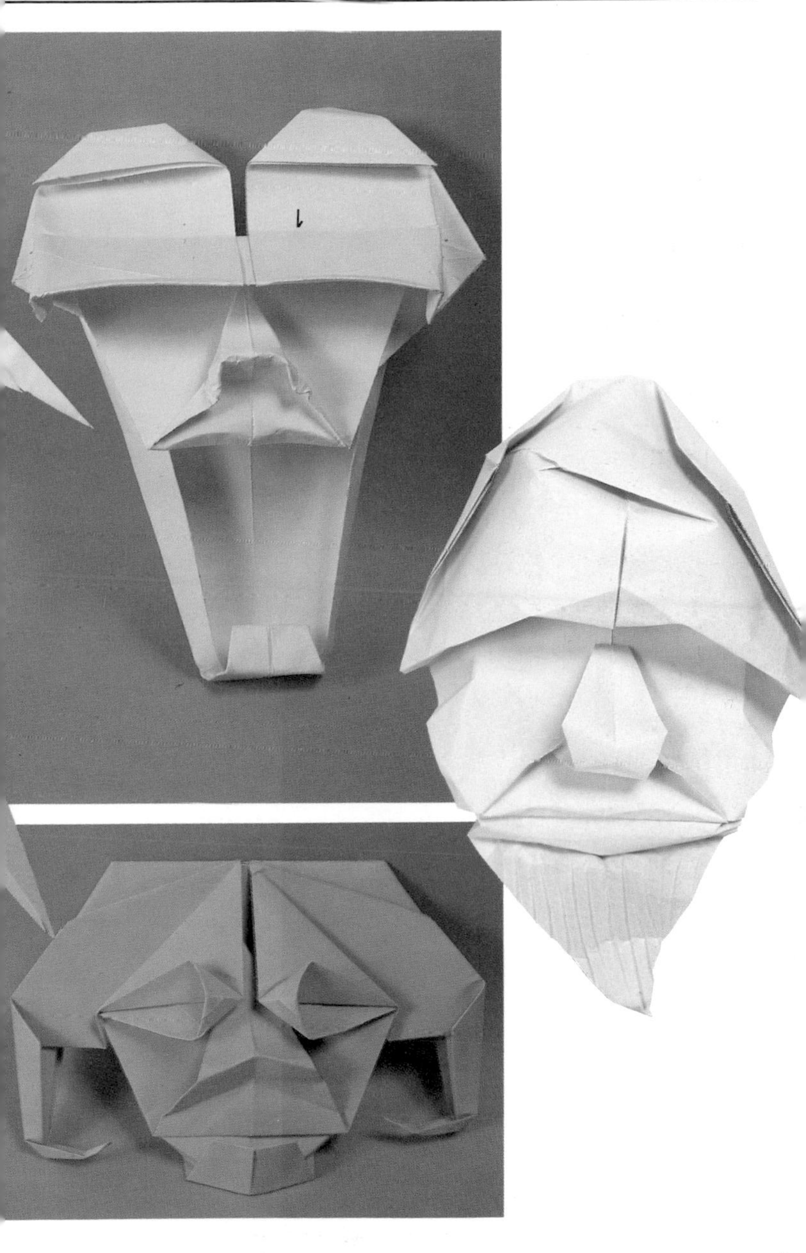

La ménagerie de papier

Depuis son origine, l'origami a été tenté de reproduire la nature. Pour égaler les dieux, il fallait donner la vie et quoi de plus beau que de la donner aux animaux familiers qui nous entouraient ?
Plieurs débutants, rêvez ! Nous pénétrons dans le royaume des merveilles car ici, non seulement le pliage est astucieux, géométrique, artistique, mais il est aussi l'expression de la vie. Les plus grands plieurs s'y adonnent, cherchant à parfaire leurs créations comme le maître Yoshizawa qui passa près de trente ans à concevoir, modèle

RETROUVER LES PLIS DE LA NATURE.

après modèle, une fourmi de papier avec toutes ses pattes, ses antennes, ses proportions. Et tout ça dans une dimension à peine plus grande que la réalité.

Alice Gray inventa une oie capable réellement de voler. Paul Jackson arrive à faire picorer son pivert. Ce sont là chaque fois des merveilles de naturel et de vie.

À l'opposé, certains n'auront de cesse de trouver la formule de pliage la plus simple pour un animal que vous trouverez peut-être un peu « bébé » comparé aux autres. Mais ces plieurs travaillent pour vous. Ils vous montrent les gammes qui vous permettront de réussir un jour dans

Un papier qui marque bien les plis donnera plus de "nerf" à votre animal.

ce difficile domaine.
Pratiquez sans cesse les bases, pratiquez le solfège des plieurs, utilisez toujours des papiers qui marquent bien les plis et bientôt, vous inventerez de nouvelles formes...

Le modèle de la nature ne suffit pas toujours : Laissez libre cours à votre imagination pour créer "votre" éléphant ou "vos grenouilles".

Les origamis classiques

Les anciens origamis nous apportèrent les bases que nous pratiquons de nos jours ainsi que la technique des « pointes ». Si vous voulez créer un animal, il faut dès le départ prévoir où situer la surface du corps et où tirer les bandes de papier pour faire les membres. On peut décider de ne faire que l'animal de profil. Dans ce cas deux pointes suffisent pour les pattes. Mais si vous travaillez un insecte, six pointes au moins doivent être dégagées du bloc de papier. Sans compter les ailes... C'est ici que réside la vraie difficulté, un carré n'ayant que quatre angles. Vous pouvez toujours inciser la feuille pour en obtenir davantage, mais cette solution n'est pas pure pour les vrais amateurs.
Le meilleur conseil que l'on puisse vous donner est de progresser lentement sur des bases établies. Ensuite, vous pourrez toujours tenter d'allonger un cou, plisser une aile, ouvrir une gueule ou marquer les articulations d'une patte. L'idée de base

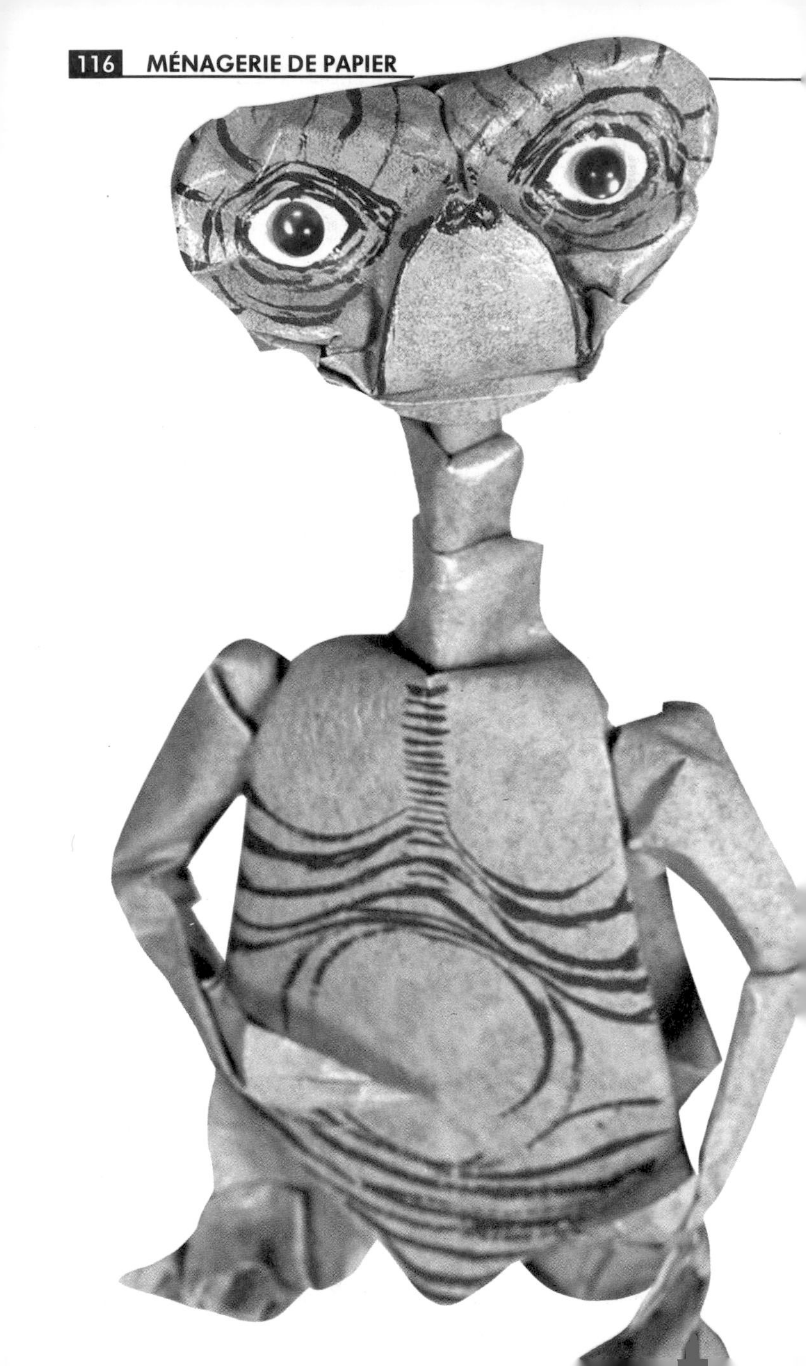

consiste à essayer plusieurs variations sur un même type d'animal.

Lorsqu'on a compris comment faire un chien, on peut décliner facilement toutes les races, du teckel au saint-bernard.

Des objets volants plus ou moins identifiés

Voler, le plus vieux rêve de l'homme. Que n'a-t-il pas tenté depuis l'Antiquité pour rivaliser avec les oiseaux ! Les ailes de cire d'Icare, les cerfs-volants portant des hommes en Chine, les montgolfières, les avions de bois et de papier... C'est Léonard de Vinci qui le premier a tenté de concevoir un aéroplane à base de pliage. Non pour la forme définitive, mais pour le calcul des surfaces géométriques des ailes. On peut s'envoler aussi au sens figuré.

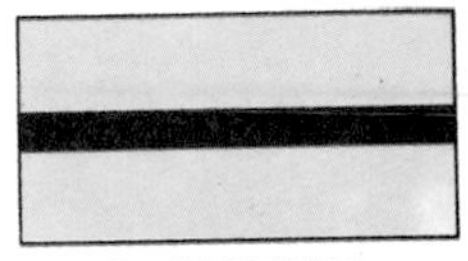

1 - MONTEZ

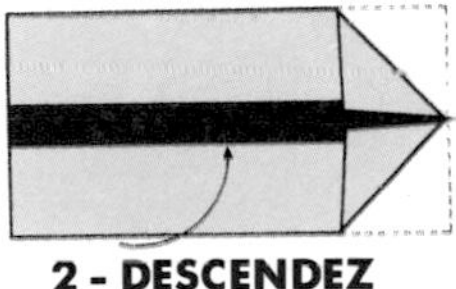

2 - DESCENDEZ

Lech Walesa, « l'homme de fer » de la Pologne, plie des avions de papier afin de se concentrer avant ses dialogues avec le gouvernement.

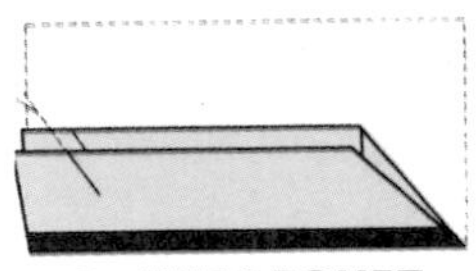

3 - EMBARQUEZ

Dans le film *L'Empire du soleil*, Steven Spielberg met en scène un avion de papier synonyme de liberté pour l'enfant prisonnier.

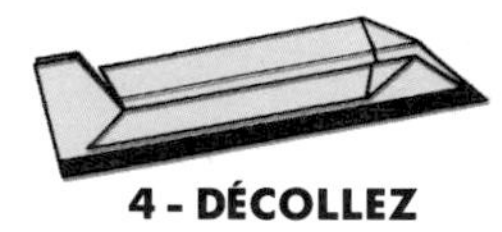

4 - DÉCOLLEZ

La R.A.T.P. a récemment basé sa publicité sur les lignes menant à l'aéroport d'Orly par un ticket de métro

plié en aéroplane. Cette campagne suivait de près une autre figurant la grenouille symbole de la météo et réalisée dans les mêmes tickets.
Si une feuille d'arbre volette en tombant, une feuille de papier peut faire de même. Il suffit de donner une direction au vol par un pliage en pointe et de stabiliser celui-ci par des ailes symétriques portant sur l'air. À partir de là, tout est possible. Mais il n'y a pas que les avions pour tracer dans le ciel des arabesques de rêve. L'oiseau reste le modèle incontesté, suivi par le papillon, les insectes en tout genre, la chauve-souris... et le poisson volant. Ils sont obligatoirement plus difficiles à plier, donc plus difficiles à faire voler. Mais là réside l'intérêt de l'origami : adapter la qualité de vol à l'objet plié.
Un papillon doit voleter, un corbeau doit foncer sur sa proie, une oie doit avoir un vol lourd et puissant. Bien entendu, les proportions de l'origami doivent correspondre à celles de l'oiseau naturel. Par exemple, la mouette est définie par un fuselage très petit par rapport à l'envergure

A*ir Folies*
Dans nombre de meetings aériens, on peut voir évoluer des avions de papier... Comme à Paris Air Folies, seul meeting de la capitale, une place importante est réservée aux « merveilleux fous pliants et à leurs drôles de machines ».

Quand on se met à plier comme on respire, on se prend à recréer la nature : ici, un homme-oiseau.

de ses ailes comme tous les oiseaux voiliers. Autre exemple : le corbeau est trapu et il est indispensable de lui ajouter des pattes solides. Enfin, l'oie doit nécessairement avoir un long cou.

Du parachute à l'hélicoptère

Revenons quelques instants aux machines volantes. Comme pour tous les exercices périlleux, il est nécessaire de faire des gammes avant de se lancer. La forme la plus simple d'objet volant est l'hélice. Deux plis opposés comme une torsade sur une bande de papier, et voilà une papillote tournoyante. Deux autres plis pour orienter le passage d'air et vous obtenez une superbe hélice. Autre gamme : prenez une feuille carrée, pliez selon les diagonales, ajoutez un poids à chaque angle, lâchez le tout pour obtenir un parachute simple. Encore une autre ? Repliez une feuille de manière à obtenir un triangle, et vous avez le principe d'une aile delta.
Les avions les plus compliqués ne sont qu'une accumulation de ces bases simples. Encore faut-il respecter quelques règles. Le papier ne doit pas être trop lourd ; pas plus de 80 g au mètre carré pour un objet n'excédant pas la longueur de la

Le pliage d'avion a pris son envol dès la guerre de 1914 et surtout pendant la dernière guerre. Cet avion vole très bien et est très facile à réaliser.
- Prenez une feuille de papier de machine à écrire, retaillée en carré. Les feuilles de cahier sont un peu lourdes, mais peuvent être utilisées.
- Faites attention à la symétrie des plis, surtout en 6.
- En 7, relevez les ailerons de stabilisation à 45°.

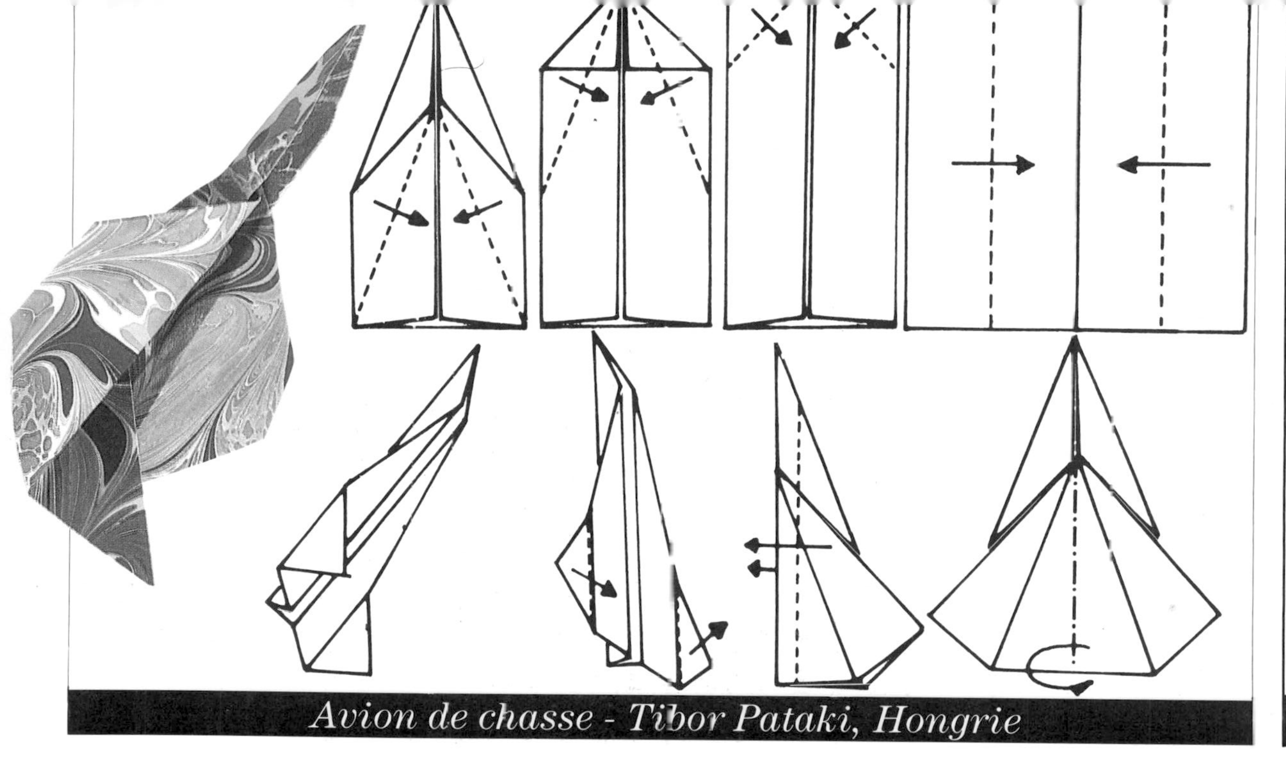

Avion de chasse - Tibor Pataki, Hongrie

main. Le papier de machine à écrire est parfait. Il faut toujours plier parfaitement, symétriquement et prévoir un parfait équilibrage de poids. Attention aussi à la qualité des stabilisateurs latéraux de vol.
La répartition avant / arrière est peut-être la chose la plus délicate. Si le nez est trop lourd, l'avion tombera comme une pierre, mais si le modèle nécessite de nombreux plis en tête, prévoyez un papier beaucoup plus fin. Si la queue est trop lourde, vous n'obtiendrez que des cabrioles bizarres et non des loopings.

Pour parfaire l'équilibre des objets volants, il est souvent préférable de courber légèrement les ailes. À cet effet, il est conseillé de faire courir les plis des ailes sur le bord anguleux d'une table comme on le fait pour friser un ruban à l'aide d'une paire de ciseaux. Ce marquage est plus régulier qu'avec les doigts. Méfiez-vous également du stockage du papier. Si celui-ci a pris l'humidité, il ne volera pas. Un papier froissé est à exclure immédiatement. Enfin, sachez qu'un modèle abouti dans sa forme à l'aide d'une feuille carrée volera peut-être mieux si vous utilisez une surface triangulaire ou rectangulaire (soit un demi-carré), ce qui permet d'alléger le poids.

Hélice et papilotte - Didier Boursin, France

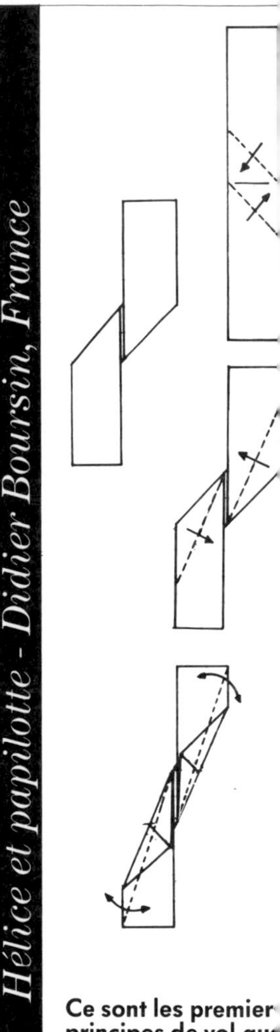

Ce sont les premier principes de vol qu nous enseigne la nature.
– La papillote tournoie sur elle-même ;
– L'hélice tourne autour de son axe.

Boomerangs et semelles de plomb

La recherche de la forme parfaite peut être contraire à un bon vol. Aussi, les amoureux des maquettes d'avions ne seront probablement pas tentés par la stylisation du pliage garantissant souvent une meilleure portance sur l'air.
Les boomerangs et frisbees de papier, les ombrelles volantes et, pourquoi pas ? un jour des fers à repasser volants ne sont pas pour eux.
À l'opposé, ils se laissent émouvoir par les proportions idéales d'un planeur Lilienthal de 1896, d'une Demoiselle Santos Dumont de 1907, d'un biplan des frères Wright de 1907 (le premier avion digne de ce nom), d'un monoplan Morane Saulnier de 1919, d'un aérobus Blériot de 1920 ou encore par les plus modernes F-16, Saab 37 Viggen ou Mirage 2000... Ces avions d'une extrême complexité de pliage ont des semelles de plomb. Jamais ils ne voleront, mais leur but est de faire rêver par leur perfection.
L'origami permet de réunir les deux passions : l'avion planant sans danger de casse dans l'appartement et l'avion de vitrine pour collectionneurs de pliages.

Les papillons, messagers des dieux
Parmi les objets volants plus ou moins identifiés, les papillons sont requis pour les mariages japonais. Ils sont en effet considérés comme les messagers des divinités et à ce titre trônent sur les flacons d'alcool de riz qui servent à consacrer l'union des jeunes mariés. L'un mâle, l'autre femelle, ils n'ont d'autre utilité que la cérémonie et leur vol n'est que symbolique. Mais c'est une si jolie coutume.

PARLEZ-MOI D'AMOUR

LES VRAIS AMATEURS D'ORIGAMI ADORENT PARTAGER LEUR SAVOIR.

Ils sont aussi très généreux et offrent souvent leurs créations. Vous pouvez faire de même particulièrement dans le domaine du cœur. Cela ne veut pas dire qu'il faut renoncer aux cadeaux habituels, mais plutôt que l'on peut personnaliser ces cadeaux par le pliage. Renoncez parfois au coffret matelassé des orfèvres pour offrir des petits bijoux. On peut aisément les remplacer par de délicieux origamis. Sinon, ajoutez à l'emballage un petit cœur plié dans un adorable papier rouge ou une carte de visite ornée d'un oiseau charmant. Vous pouvez aussi concevoir des bagues, des bracelets, des colliers qui, s'ils ne sont pas durables, sont si sympathiques et spontanés.

Le langage des fleurs

Les femmes sont sensibles aux fleurs. Messieurs, ne les en privez pas, même si vous vous sentez un peu gêné un bouquet à la main. L'origami peut, dans certains cas, vous dispenser de passer chez le fleuriste. Rappelez-vous alors le langage des fleurs cher à nos grands-parents. Passons sur la fleur d'oranger symbole de virginité, de l'aubépine (prudence) ou du pêcher (bonheur défendu) et attardons-nous sur la fleur d'églantier (amour) et surtout celle du magnolia synonyme d'amour fort. Les amoureux de la botanique peuvent y ajouter des origamis de fougère (sincérité), de grenadier (passion) ou de lierre (amitié).

MÊME
EN PAPIER,
LES FLEURS
ONT UN
LANGAGE.

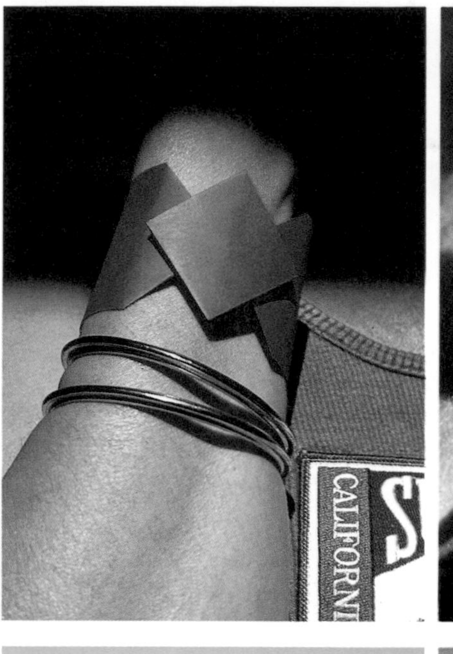

Exemple d'un pliage décoratif que l'on peut répéter plusieurs fois le long de la bande. Il peut servir de bracelet, de collier, de frontal selon la longueur de papier choisie.

– La difficulté réside dans le marquage des plis de départ. Marquez le milieu du ruban ; pliez cette bande à 90° (une fois vers le haut, une fois vers le bas) de chaque côté de cette marque.

– Ramenez ensuite les plis A et B vers le milieu en 2.

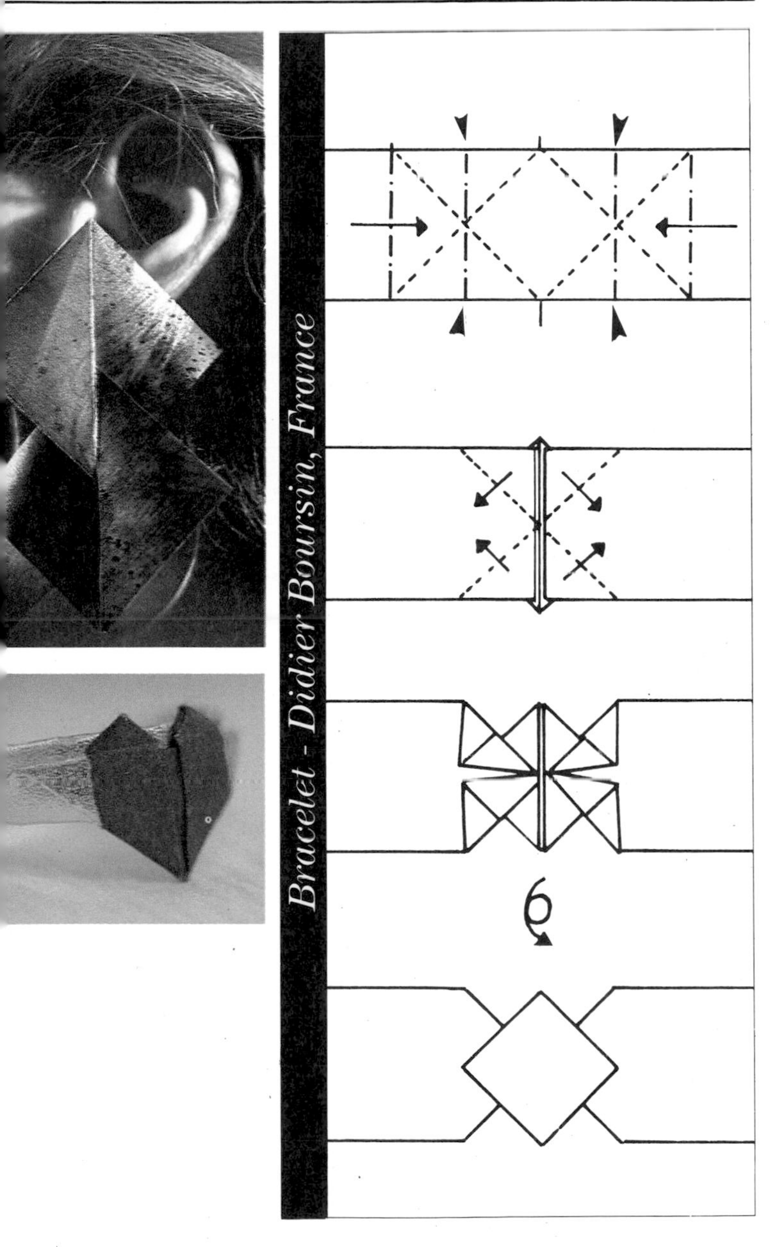

Bracelet - Didier Boursin, France

Les fleurs sont toutes basées sur le même principe : il faut sortir le nombre de pointes correspondant au nombre de pétales. C'est la seule difficulté. Ensuite, il suffit de concevoir la forme d'un pétale et de répéter l'opération autant de fois que nécessaire.

Origami pour lui

S'il est une chose délicate, c'est bien d'avoir de l'imagination pour les cadeaux d'hommes (ceux-ci étant déjà largement pourvus en cravates et chaussettes). L'origami est dans ce domaine le bienvenu. Il vous faut d'abord sélectionner des papiers « masculins ». Le papier kraft ou le papier imitant le cuir sont parfaits.

Il vous reste à plier. Les modèles possibles sont légion. Pochette à cartes de visite, portefeuilles, étui à tickets de métro, présentoir de bureau, récipients à agrafes et trombones, porte-crayons, plan préplié de Paris, enveloppe à bulletins de loto... Vous pouvez penser aussi à la présentation et à l'emballage des traditionnelles cravates ! Ces cadeaux variés seront si inattendus qu'ils seront acceptés avec enthousiasme. Si sa profession le permet, vous pouvez encore envisager de lui présenter des idées de cartes profes-

Un signet ou une boîte à ficelle, pour joindre l'utile à l'agréable.

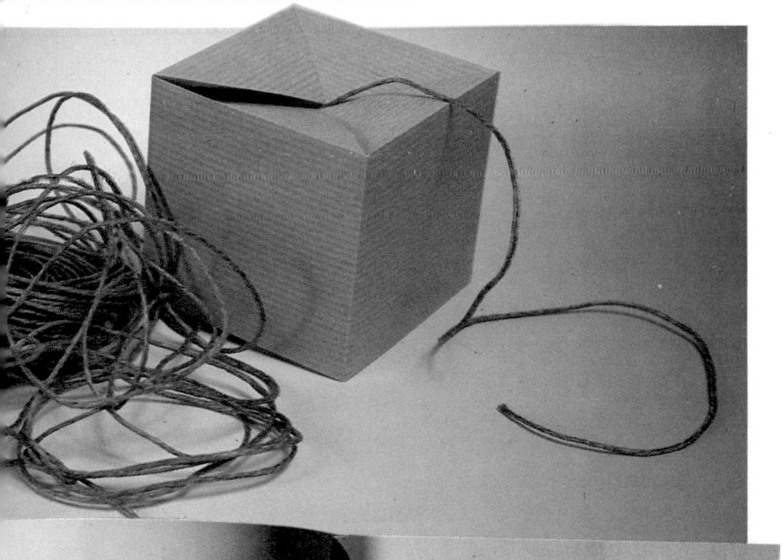

LE NÔTRE
par Bernard Jeannel

sionnelles ou des éléments de décor de boutique ou de stand. Et s'il a simplement besoin de se détendre, revenez au chapitre des « objets volants plus ou moins identifiés ».

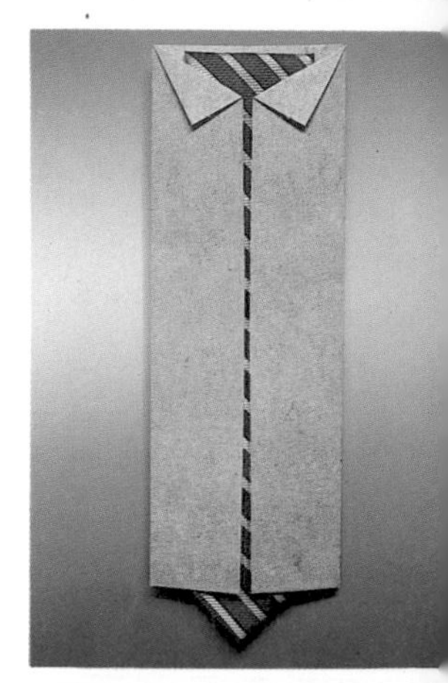

L'origami fait la paire

L'origami est parfois une affaire de couple. Lorsque Victoria et Pablo se marièrent, ils reçurent leurs invités sur un bateau amarré sur la Seine. Ils conçurent un carnet d'invitation dans lequel ils présentaient le diagramme du pliage d'un bateau. Le bateau déjà plié était également joint.
Plus généralement, le pliage en couple concerne la maison. On ne peut se marier tous les jours ! Pour vivre bien, vivons pliés ; la maison est un réservoir inépuisable de choses à origamiser. Nous avons déjà vu le décor de la table. Il reste à travailler l'environnement. Dans les années 30, la célèbre école d'architecture allemande du Bauhaus avait déjà introduit dans ses cours des leçons de pliage pour pousser les étudiants à tenir compte des immenses possibilités du pliage dans ce domaine. L'Allemagne nazie les ayant chassés de leur pays, professeurs et élèves s'installèrent aux États-Unis où ils purent réaliser des

Comment donner à la trop traditionnelle cravate de la fête des Pères une soudaine originalité, et à ses objets quotidiens un zeste de fantaisie.

bâtiments utilisant l'origami. Pour les rythmes de façade ou la décoration intérieure. Ces rythmes sont souvent abstraits et répétitifs. Ils sont donc adaptés au décor d'un mur entier, à l'édification d'une cloison et surtout à la conception de sculptures éclairantes. C'est ce dernier aspect qui peut le plus vous intéresser. Non seulement pour les lampes, mais aussi pour les murs un peu délabrés qu'il convient de dissimuler. Le pliage en accordéon et le pliage en éventail seront les bases idéales de vos recherches. Elles pourront être appliquées dans les appartements modernes pour rappeler les plafonds à la française ou pour cacher le crochet prévu pour le lustre lorsque vous avez décidé de vous éclairer uniquement avec des spots ou des lampadaires.

Enfin, n'oubliez pas la décoration annuelle du nouvel an qui, pour n'être que passagère, sera l'objet de toute l'imagination et la fantaisie dont vous êtes capables. En origami !

Jouer avec la lumière en créant pour elle des abat-jour ou des décors en papiers transparents ou translucides.

Fiche pratique

Types de papiers

Papiers légers ?

Cellophane, papier crépon, papier de toilette ou mouchoirs jetables, calque léger, papier à cigarettes, papier de soie...
Ces papiers sont le plus souvent utilisés pour l'emballage décoratif et doivent être associés à des papiers plus forts.

Le washi, un papier sophistiqué
Les maîtres du pliage actuels travaillent toujours avec ce papier fabuleux que l'on nomme le *washi*. Il est vraiment exceptionnel, supportant tous les outrages de la torsion, résistant dix fois mieux que n'importe quel papier occidental et permettant les entailles aux pliages les plus sophistiqués. Bien qu'il soit hors de prix, les plieurs occidentaux l'apprécient pour sa tenue et son élégance comme les politiciens qui depuis plus d'un siècle n'utilisent que lui pour rédiger les traités internationaux.

Papiers moyens ?

Kraft, listing d'ordinateur, papier à lettres, papier métal, feuilles de magazine, papier journal...
Ils concernent la plupart des origamis. Le plus mauvais pour le pliage est le papier journal, trop mou. Le meilleur est le papier de machine à écrire qui garde bien les plis. Le papier métal permet de sculpter mieux, mais ne glisse pas très facilement lors des inversions de plis. Le plus solide est le billet de banque...

Papiers forts ?

Carton, carte postale, papier d'affiche, photo, papier peint, papier à dessin, bristol, ticket de métro... Ils servent surtout pour les pliages dé-

coratifs, très architecturaux ou abstraits, ainsi que pour les grands pliages. Un seul danger, la cassure des plis lorsque le papier n'est pas suffisamment encollé comme le papier à aquarelle.
Il faut adapter également l'aspect du papier à l'objet à plier. Un papier pelucheux sera préférable pour la confection d'un animal à fourrure, un papier brillant évoquera mieux

BIBLIOGRAPHIE (ORIGAMITHEQUES)

Pliages fantaisie sur le thème de la mer, M.J. Michel Dubreton, Éditions Fleurus, 1984
Le Papier, H. Briand Le Bot, Éditions de Minuit, « Traverses » nº 27-28, 1983
Papier plissé, Pierre Bloyer, Éditions du Centurion, 1978
Avec du papier plié, Marion von Vliet, Éditions Dessain et Tolra, 1976
Origami, Zülal Aytüre-Scheele, Éditions Fleurus, 1986
Complete origami (en anglais), Eric Kenneway, Ebury Press, London 1987
Origami, M. Schuyt et J. Elffers, Chêne/Hachette, 1980
Volti in origami (en italien), Eric Kenneway, Il Castello, 1985
Origami 1,2,3 (en anglais), Robert Harbin, Coronet, 1958
Papier Flieger (en allemand), J. Mander, G. Dipple.
H. Gossage, Verlag, 1981
Origami, paper folding for fun (en anglais), Eric Kenneway, Octopus Books Limited, 1980
All' origami (en italien), Renzo Zanoni, La Casa Verde, Italie.
Origami e magia (en italien) Luisa Canovi, La Casa Verde, 1987
Histoire d'une petite souris qui était enfermée dans un livre Nº1 (1980) et Nº2 (1983), Monique Feux, Gallimard-Tournesol
Challenge origami (Flapping

le domaine aquatique d'une grenouille ou d'un poisson, le papier métal figurera à la perfection l'aspect mécanique d'un avion de vitrine, un papier teinté et translucide fera croire à la rosée sur une fleur...

On peut se procurer des pochettes de papier japonais pour origami à la librairie Tokyodo, 48 rue Sainte-Anne, 75001 Paris.

---

bird) (en anglais), D. Nakano traduit par Eric Kenneway, Kodomoni Yumero Jigyodan, Tokyo 1986

Tricks and games with paper (en anglais), Paul Jackson, Angus and Robertson Publications, London 1985

Papiers, traduit de l'anglais, Dessain et Tolra, 1978

Animal origami for the enthousiast (en anglais), John Montroll, Dover Publications, U.S.A. 1985

Contes et fables en origami, Elyane Gueit, Éditions Fleurus, collection Mille-Pattes

Geometric exercices in paperfolding (en anglais), T. Row, Dover Publications, New York 1966

Decorative napkin folding for beginners (en anglais), Lillian Oppenheimer, Nathalie Epstein, Dover Publications, New York 1979

Origami : pliages en papier pour grands et petits, Zülal Aytüre, Éditions Fleurus, 1985

Manuel pratique d'origami, Dominique Buisson, Éditions Arted, 1988

L'Art du pliage de papier, Robert Harbin, Les Éditions de l'Homme (Canada).

Origami (en anglais), [illegible]. Kawai, Hoikuska color books, Japon

Living origami, T. Sugimura, Hoikusha color books, Japon

On peut trouver ces livres à la

librairie Tokyodo, Paris
La Creacion en papiroflexia (en espagnol), Vicente Palacios, Editorial Miguel A. Salvatella, Espagne

LIBRAIRIES POUR SE PROCURER LES LIVRES EN LANGUE ÉTRANGÈRE :

ANGLAIS : Galignani, 224 rue de Rivoli, 75001 Paris
Brentano's : 37 avenue de l'Opéra, 75002 Paris
ITALIEN : Librairie italienne, 54 rue de Bourgogne, 75001 Paris
JAPONAIS : Junku, 262 rue Saint-Honoré, 75001 Paris
Tokyodo, 48 rue Sainte-Anne, 75001 Paris

Le Mouvement Français des Plieurs de Papier collecte tous les livres et articles qui paraissent sur l'origami. Une bibliothèque de prêt est à la disposition des adhérents. On peut y trouver :
– La revue *LE PLI* éditée par l'association depuis 1982
– Le Ticket plié, un petit livre sur le pliage en tickets de métro, Mouvement Français des Plieurs de Papier, 1983
– Les brochures Pliages 1 : Initiation et perfectionnement, Pliages 2 : Panorama international et Pliages 3 : avions et bateaux
– La brochure Magie et pliage pour le XXIe congrès français de l'illusion
– Les revues des autres associations mondiales d'origami
– De nombreux ouvrages publiés par les plus grands plieurs actuels.

ASSOCIATIONS D'ORIGAMI

FRANCE

MOUVEMENT FRANÇAIS DES PLIEURS DE PAPIER
56 rue Coriolis, 75012 Paris
Didier Boursin

JAPON

INTERNATIONAL ORIGAMI CENTER
P.O. Box 3, Ogikubo, Tokyo 167
Akira Yoshizawa
NIPPON ORIGAMI ASSOCIATION
1096 Domir Gobancho, 12-Gobancho, Chiyoda ku, Tokyo 102
Yashiro Sano
ORIGAMI KAIKAN
7-14 Yushima 1-chome, Bunkyo ku, Tokyo 113
Kazuo Kobayashi

ANGLETERRE

BRITISH ORIGAMI SOCIETY
12 Thorn Road, Bramhall, Stockport, Cheshire SK7 IHQ
Dave Brill

U.S.A.

FRIENDS OF THE ORIGAMI CENTER OF AMERICA
15 West 77th Street, New York City, N.Y. 10024
Michael Shall
ORIGAMI CENTER OF AMERICA
31 Union Square West, New York City, N.Y. 10003
Lillian Oppenheimer
WEST COAST ORIGAMI GUILD
P.O. Box 90601, Pasadena, CA. 911109
Robert Lang, Louise Cooper

MIAMI AREA
507 South Shore, Miami,
Florida 33141
Stephen Weiss

MEXIQUE

ASSOCIACION MEXICANA
DE ORIGAMI
Apartado Postal 85-063, 10200
Mexico D.F.
D.I. Jorge Rocabert

DANEMARK

IDEAS UN-UNITED
Ewaltsgaden 4, K.I.D., 2200
Copenhagen-N.
Thoki Yenn

ESPAGNE

ASSOCIACION ESPAGNOLA
DE PAPIROFLEXIA
C/. Pedro Teixeira 9 esc.izd.
Madrid 20
Felix Gimeno Fernandez

AUTRICHE

Peter Paul Forcher
Oberdrum 11 A. 9900 Lienz

ITALIE

CENTRO DIFFUSIONE
ORIGAMI
P.O. Box 225, 40100 Bologna
Roberto Morassi, Miss Luisa
Canovi
CENTRO ITALIANO ORIGAMI
P.O. Box 357, 10100 Torino
Angelo Polidori

BELGIQUE

BELGISCH NEDERLANDSE
ORIGAMI SOCIETETT
Adolf Reydamslaan 12
2400 Mol
Laurent d'Haeseleer
INTERNATIONAL ORIGAMI
CENTER BELGIUM
J. Degrooflaam, 2400 Mol
Marc Cooman

HOLLANDE

ORIGAMI SOCIETY
NETHERLANDS (ORISON)
P.O. Box 35, 9989 ZG Warffum
Hans Invenizzi
ORIGAMI ORGANISATION
NETHERLANDS (ORION)
Dindestraat 22,3581 D.S.,
Dhecht
Mark Ovennais

U.R.S.S.

CLUB KENROKUEN
Gerscheritcha 2 19, 66 1000
Hkutstk
Sergei Kargin, Bodor Dazkach

Le Mouvement Français des Plieurs de Papier se tient à votre disposition pour vous communiquer toutes autres nouvelles adresses d'associations ou de plieurs individuels en province comme à Paris.
On peut également suivre des cours de pliage à l'Espace Japon, 12 rue Sainte-Anne, 75001 Paris.
Gérard Ty Sovann participe à la demande à des expositions d'origamis. On peut le joindre au 35 rue de Vigneronde, 95100 Argenteuil, tél. 1/34 11 39 21.

Maquette : Jacques Foury

27, rue Cassette
75006 Paris

Imprimé en France
par Intergraphie à Saint-Etienne
le 27 février 1989
Dépôt légal mars 1989
ISBN 2-277-38003-2
Diffusion France et étranger Flammarion

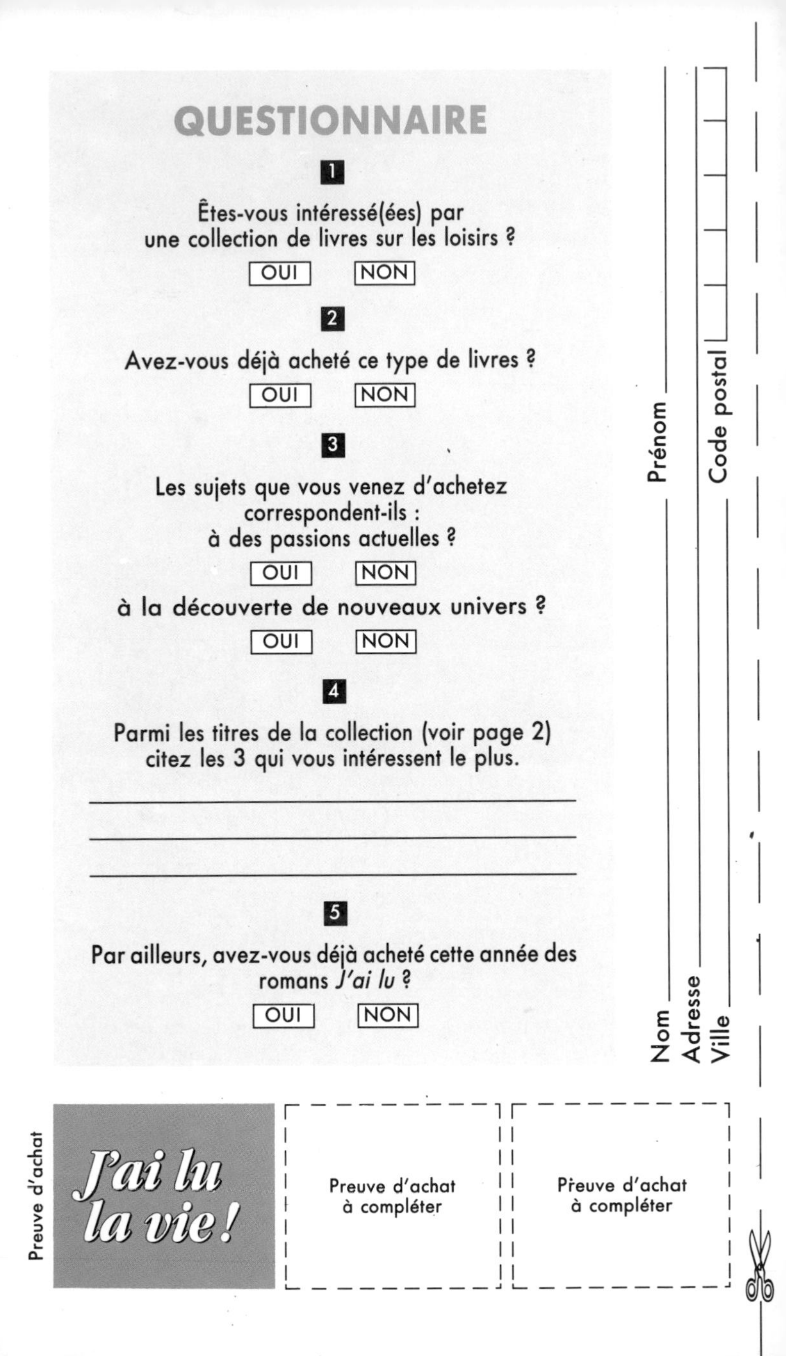

QUESTIONNAIRE
1
Êtes-vous intéressé(ées) par une collection de livres sur les loisirs ?
OUI NON
2
Avez-vous déjà acheté ce type de livres ?
OUI NON
3
Les sujets que vous venez d'achetez correspondent-ils :
à des passions actuelles ?
OUI NON
à la découverte de nouveaux univers ?
OUI NON
4
Parmi les titres de la collection (voir page 2) citez les 3 qui vous intéressent le plus.
5
Par ailleurs, avez-vous déjà acheté cette année des romans J'ai lu ?
OUI NON
Nom
Prénom
Adresse
Ville
Code postal
Preuve d'achat
J'ai lu la vie !
Preuve d'achat à compléter
Preuve d'achat à compléter